Nordseeküsten-Radweg 3

Von Hamburg nach Sylt

Ein original *bikeline*-Radtourenbuch

Esterbauer

bikeline®-Radtourenbuch Nordseeküsten-Radweg 3
© 2000, **Verlag Esterbauer GmbH**
A-3751 Rodingersdorf, Hauptstr. 31
Tel.: ++43/2983/28982-0
Fax: ++43/2983/28982-80
Email: bikeline@esterbauer.com
www.esterbauer.com

1. Auflage, 2000

ISBN 3-85000-039-7 (Geben Sie diese Nummer bitte bei jeder Korrespondenz an)

Unser Dank geht an alle Personen, die uns bei der Erstellung dieses Buches unterstützt haben.
Das *bikeline*-Team: Mag. Birgit Albrecht, Beatrix Bauer, Grischa Begaß, Anita Daffert, Michaela Derferd, Roland Esterbauer, Carmen Hager, Bettina Hofbauer, Veronika Loidolt, Bernhard Mues, Mirjana Nakic, Petra Riss, Tobias Sauer, Inga Schilgen, Mag. Matthias Thal.
Bildnachweis: Nordsee-Tourismus-Service: 46L, 51, 56R, 62, 68L, 70R, 72R, 80, 82, 84; Tourismus- und Gewerbeverein Wedel: 20; Thorsten Berndt: 22; Michaela Derferd: 12, 14, 16, 17; Birgit Albrecht: 18, 24L, 34, 36, 38, 40, 42, 43, 44, 46R, 47, 48, 52, 54, 56L, 58, 60, 65, 66, 68R, 70L, 72L, 76; Evelin Geisler: 24R; Verkehrs- und Gewerbeverein Glückstadt: 27, 28, 30; Infozentrum Wiedingharde: 78

2

Was ist bikeline?

Wir sind ein junges Team von aktiven RadfahrerInnen, die 1987 begonnen haben, Radkarten und Radbücher zu produzieren. Heute tun wir dies als Verlag mit großem Erfolg.

Um unsere Bücher immer auf dem letzten Stand zu halten, brauchen wir auch Ihre Hilfe. Schreiben Sie uns, wenn Sie Fehler oder Änderungen entdeckt haben. Oder teilen Sie uns einfach die Erfahrungen und Eindrücke von Ihrer Radtour mit.

Wir freuen uns auf Ihren Brief,

Ihr bikeline-Team

Vorwort

Der Nordseeküsten-Radweg in Schleswig-Holstein ist ein Teilstück eines gesamteuropäischen Projektes, die „North Sea Cycle Route". In Zukunft wird es eine beschilderte Radroute einmal rund um die Nordsee geben, die durch 6 Länder führt. Spannender Ausgangspunkt des Nordseeküsten-Radweges Schleswig Holstein ist die Hafenmetropole Hamburg. Weite Polderlandschaften, kilometerlange Deiche, unzählige Windanlagen, gemütlich grasende Schafe und der weite Blick auf die Nordsee prägen das Landschaftsbild. Erholen Sie sich im Nationalpark schleswig-holsteinisches Wattenmeer, geben Sie sich in den Nordseebädern genüsslich den Badefreuden hin und schlendern Sie durch die historisch gewachsenen Ortskerne schleswig-holsteinischer Städte.

Und übrigens: Präzise Karten und Stadtpläne, verlässliche Routenbeschreibungen, Hinweise auf das kulturelle und touristische Angebot der Region und ein umfangreiches Übernachtungsverzeichnis – in diesem Buch finden Sie alles, was Sie zu einer Radtour entlang der schleswig-holsteinischen Nordseeküste benötigen.

Kartenlegende

Die Farbe bezeichnet die Art des Weges:

━━━━━ Hauptroute (main cycle route)

━━━━━ Radweg (cycle path)

━━━━━ Ausflug oder Variante (excursion)

Strichlierte Linien zeigen den Belag an:

━ ━ ━ asphaltierte Strecke (paved road)

━ ━ ━ nicht asphaltierte Strecke (unpaved road)

Punktierte Linien weisen auf KFZ-Verkehr hin:

• • • • • • Radroute auf mässig befahrener Straße
(cycle track on fairly frequented road)

● ● ● ● ● Radroute auf stark befahrener Straße
(cycle track on high frequented road)

━━━━━ stark befahrene Straße
(high frequented road)

➤ starke Steigung (steep gradient, pointing uphill)

➢ leichte bis mittlere Steigung (slight gradient)

3 Entfernung in Kilometern (distance in km)

◆ Fähre (ferry)

⚠ Gefahrenstelle (danger point)

⚠ Text beachten (read text carefully)

X X X Radfahren verboten (no cycling)

Maßstab 1 : 75. 000

4

1 cm ≙ 750 m   1 km ≙ 13,3 mm

i Tourist-Information (tourist-information)

( ) Einrichtung im Ort vorhanden
(facility available)

🏠 🏨 Jugendherberge; Hotel, Pension
(youth hostel; hotel, guesthouse)

🍴 Gasthaus (restaurant)

⛺ Campingplatz (camp site)

🚲 Radverleih (bike rental)

🛁 Bad (swimming pool)

⛴ Schiffsanlegestelle (landing place)

Schönern sehenswertes Ortsbild (picturesque town)

✳ Schloss Sehenswürdigkeit (place of interest)

🏛 Bauwerk (important building)

🏛 Museum (museum)

🏞 🏞 Tierpark; Naturpark (zoo; nature reserve)

🔭 Aussichtspunkt (panoramic view)

⁘ Ausgrabung (excavation)

═══ Schnellverkehrsstraße (motorway)

━━━ Hauptstraße (main road)

──── Nebenstraße (minor road)

──── Fahrweg (carriage way)

──── Fußweg (foot path)

▪▬◫▬▪ Eisenbahn m. Bahnhof (railway w. station)

▪▬◫▬▪ Schmalspurbahn (narrow gage railway)

〜〜 Staatsgrenze (national boundary)

〜〜 Landesgrenze (country boundary)

〜〜 Nationalparkgrenze
(boundary of national park)

Wald (forest)

Vernässung (marshy ground)

Watt (shallows)

Dünen (dunes)

Damm, Deich (embankment, levee)

⚲ ⚲ Kirche; Kloster (church; monastery)

⚲ Kapelle (chapel)

⚑ Schloss, Burg (castle)

⚑ Ruine (ruin)

⚲ Turm (tower)

⚲ Funkanlage (TV-tower)

⚲ Kraftwerk (power station)

⚒ Bergwerk (mine)

+ Wegkreuz (calvary)

⚱ Denkmal (monument)

▭ Sportplatz (sports field)

✈ Flughafen (airport, airfield)

⚲ Quelle (spring)

◠ Kläranlage (purification plant)

| 0 | 1 | 2 | 3 | 4 | 5 | 6 | 7 | 8 | 9 | 10 | 11 | 12 | 13 | 14 | 15 kr |

Inhalt

Nordseeküsten-Radweg

North Sea Cycle Route

Bei dem hier vorgestellten Nordseeküsten-Radweg für Schleswig-Holstein und Hamburg handelt es sich um ein Teilstück des ersten von zwölf geplanten transeuropäischen Radfernwegen. Dieser Radfernweg führt insgesamt durch sieben Länder – Deutschland, Dänemark, Schweden, Norwegen, Schottland, England und die Niederlande – mit einer Gesamtlänge von rund 6.000 Kilometern. Grundinformationen zu der Gesamtroute sowie wichtige Adressen in den beteiligten Ländern erhalten Sie bei den unten genannten Informationsstellen, der Werbegemeinschaft Deutsches Küstenland oder im Internet unter http://www.northsea-cycle.com.

STRECKENCHARAKTERISTIK

Länge

Die Länge des Nordseeküsten-Radweges in Schleswig-Holstein von **Hamburg** zur **dänischen Grenze** bzw. nach **Sylt** beträgt 357 Kilometer. Ausflüge und Varianten sind dabei nicht berücksichtigt.

Wegequalität & Verkehr

Die Wegequalität am Nordseeküsten-Radweg in Schleswig-Holstein ist sehr gut. Die Route verläuft fast ausschließlich auf Radwegen entlang der Deiche, auf Radwegen entlang von Straßen oder auf ruhigen Landstraßen und gemütlichen Nebensträßchen. Nur selten müssen Sie auf Straßen mit etwas stärkerer Verkehrsbelastung ausweichen. Achten Sie jedoch darauf, dass die wenigen unbefestigten Wegstücke eher für Mountainbiker und Abenteuerlustigere geeignet sind.

Und noch etwas Wichtiges: Das Betreten und Radfahren auf den Deichen und Deichverteidigungswegen geschieht auf eigene Gefahr. Bitte rechnen Sie mit deichtypischen Hindernissen, Verschmutzungen und Unebenheiten (z. B. Treibgut, Schafkot, Weidezäunen oder manchmal auch Schlaglöchern).

Beschilderung

Ab dem Frühjahr/Sommer 2001 gibt es eine durchgehende Beschilderung mit einem einheitlichen Logo. Da der schleswig-holsteinische Nordseeküsten-Radweg ein Teil des europäischen Radfernweges rund um die Nordsee ist, werden Sie das Logo dann auch in Niedersachsen, Dänemark, den Niederlanden, Schweden, England, Schottland und Norwegen wiederentdecken.

TOURENPLANUNG

Infostellen

Nordsee-Tourismus-Service GmbH, Postfach 1611, D-25806 Husum, ☎ 04841/89750, e-mail: nordsee@t-online.de, Internet: http://www.sht.de/nordsee

Touristikzentrale Dithmarschen e.V., Alleestr. 12, D-25761 Büsum, ☎ 04834/90010, e-mail: touristikzentrale@dithmarschen.de, Internet: http://www.dithmarschen.de.

Touristik Süd-West-Holstein e.V., Viktoriastr. 14, D-25524 Itzehoe, ☎ 04821/69472, Fax 69313

Tourismuszentrale Hamburg GmbH, Steinstr. 27, D-20095 Hamburg, ☎ 040/300510, e-mail: info@hamburg-tourism.de; Internet: http://www.hamburg-tourism.de

Anreise & Abreise
Die Bahn:

Informationsstellen:

Radfahrer Hotline Deutschland: ☎ 0180 3/194 194

Fahrpläne und Preise: ☎ 01815/996633

Internet: http://www.bahn.de oder speziell für Schleswig-Holstein: www.scout-sh.de

Anreise: Den Startort Ihrer Tour Hamburg erreichen Sie mit der Bahn von überall her problemlos. Die Fahrpläne geben Ihnen am Besten Auskunft über Zeiten und Preise.

Abreise: Vom Bahnhof Klanxbüll gelangen Sie nach Hamburg mit einem direkten Zug in rund 2,5 Stunden. Von Hamburg haben Sie dann wieder Verbindungen nach ganz Deutschland und ins Ausland.

Bedingungen Fahrradmitnahme:

In Deutschland können Sie in allen mit dem Fahrradsymbol 🚲 gekennzeichneten Zügen Ihr Fahrrad mitnehmen, die Mitnahme kostet DM 12,–, Bahncardbesitzer zahlen DM 9,–. In Zügen des Nahverkehrs kostet die Mitnahme DM 6,–. Das Ein- und Ausladen muss von Ihnen selbst durchgeführt werden.

Bedingungen Fahrrad als Reisegepäck:

Wenn Sie in **Deutschland** Ihr Fahrrad im voraus als Reisegepäck zum Zielort schicken wollen, wird dieses über den Hermes Versand abgewickelt. Der Transport kostet DM 46,–(jedes erste Fahrrad), DM 36,–(jedes weitere Fahrrad).

Sie sollten dabei jedoch folgendes beachten: das Fahrrad wird nur direkt von Haus zu Haus zugestellt (per LKW), d. h. keine Lagerung am Bahnhof. Wenn Sie einen Bahnhof als Zustelladresse angeben, müssen Sie das Fahrrad direkt in Empfang nehmen. Weiterhin besteht für die Verschickung von Fahrrädern Verpackungspflicht. Verpackungen können Sie bei der Bahn AG entweder leihen oder kaufen (DM 10,–). Nähere Informationen erhalten Sie von Montag bis Samstag unter ☎ 0180/5236723. Eine Übersicht zu Anschlüssen und Verbindungen der Bahn in **Schleswig-Holstein** finden Sie im Internet unter http://www. scout-sh.de.

Rad&Bus

Busse mit speziellen Fahrradtransportmöglichkeiten können Sie beim Nordsee-Tourismus-Service (s. Infostellen) oder unter folgenden Telefonnummern abfragen:

Dithmarschenbus 0180/2301240
Nordfriesland regional 0180/2845300

Schiffsverbindungen

Fahrpläne und Informationen über alle Nordsee-Schiffsverbindungen erhalten Sie beim:

Nordsee-Tourismus-Service GmbH, Postfach 1611, D-25806 Husum, ☎ 04841/89750, e-mail: nordsee@t-online.de, Internet: http://www.sht.de/nordsee

Die Fahrradmitnahme auf den größeren Fähren (nach Föhr, Amrum, Pellworm und zu den Halligen Hooge und Langeneß) ist problemlos möglich, nur größere Gruppen sollten sich anmelden. Auf den Ausflugsschiffen werden Fahrräder in begrenzter Zahl mitgenommen, eine Anmeldung ist jedoch notwendig. Weiterhin finden Sie genauere Angaben zum Schiffsverkehr in den Datenblöcken der einzelnen Orte.

Übernachtung

Die Elbmarschen, Hamburg und die Nordseeküste sind neben dem schleswig-holsteinischen Binnenland ein beliebtes Urlaubsziel. Vor allem zu den Ferienzeiten im Sommer empfiehlt es sich daher, eine Vorreservierung der Unterkunft bei den Touristikvereinen vorzunehmen. Seien Sie bitte auch darauf vorbereitet, dass die Vermietung eines Zimmers nur für eine Nacht manchmal problematisch werden kann. Ein Zelt im Gepäck sichert aber auf jeden Fall einen Schlafplatz.

Mit Kinder unterwegs

Der Nordseeküsten-Radweg ist mit Kindern jeden Alters unproblematisch zu befahren.

Das Rad für die Tour

Als Rad für die Tour können Sie an der Nordseeküste jedes funktionstüchtige Fahrrad verwenden. Den besten Reisekomfort bieten natürlich Tourenräder und Trekkingbikes.

Zu diesem Buch

Dieser Radreiseführer enthält alle Informationen, die Sie für Ihren Radurlaub entlang der schleswig-holsteinischen Nordseeküste, der Elbmarschen sowie in Hamburg benötigen: exakte Karten, eine detaillierte Routenbeschreibung, ein ausführliches Übernachtungsverzeichnis, zahlreiche Stadt- und Ortspläne und die wichtigsten Informationen zu touristischen Attraktionen und Sehenswürdigkeiten.

Und das alles mit der *bikeline*-Garantie: jeder Meter in unseren Büchern ist von einem unserer Redakteure vor Ort auf seine Fahrradtauglichkeit geprüft worden.

Karten

Eine Übersicht über die geographische Lage des in diesem Buch behandelten Gebietes gibt Ihnen die Übersichtskarte auf der vorderen inneren Umschlagseite. Hier sind auch die Blattschnitte der einzelnen Detailkarten eingetragen. Diese Detailkarten sind im Maßstab 1:75.000

erstellt. Dies bedeutet, dass 1 Zentimeter auf der Karte einer Strecke von 750 Metern in der Natur entspricht. Zusätzlich zum genauen Routenverlauf informieren die Karten auch über die Beschaffenheit des Bodenbelags (asphaltiert - nicht asphaltiert), Steigungen (stark oder schwach), Entfernungen sowie über kulturelle und gastronomische Einrichtungen entlang der Strecke.

Allerdings können selbst die genauesten Karten den Blick auf die Wegbeschreibung nicht ersetzen. Komplizierte Stellen werden in der Karte mit diesem Symbol ⚠ gekennzeichnet, im Text finden Sie das gleiche Zeichen zur Kennzeichnung der betreffenden Stelle wieder.

Beachten Sie, dass die empfohlene Hauptroute immer in Rot, Varianten und Ausflüge hingegen in Orange dargestellt sind. Die genaue Bedeutung der einzelnen Symbole wird in der Legende auf Seite 4 erläutert.

Textteil

Der Textteil besteht im wesentlichen aus der genauen Routenbeschreibung, welche die empfohlene Hauptroute von Süd nach Nord enthält. Stichwortartige Streckeninformationen werden, zum leichteren Auffinden, von dem Zeichen ⌐ begleitet.

Unterbrochen wird dieser Text gegebenenfalls durch orange hinterlegte Absätze, die Varianten und Ausflüge behandeln.

Ferner sind alle wichtigen **Orte** zur besseren Orientierung aus dem Text hervorgehoben. Gibt es interessante Sehenswürdigkeiten in einem Ort, so finden Sie unter dem Ortsbalken die jeweiligen Adressen, Telefonnummern und Öffnungszeiten. Folgende Symbole werden dabei verwendet:

🛈 Tourist-Information

🚲 Radverleih

⛴ Schiff, Fähre

- 🏛 Museum
- ⛪ sehenswertes Bauwerk
- ⚒ Ausgrabung
- 🎋 Tierpark, Zoo
- ▨ Nationalpark, Naturschutzgebiet, Naturdenkmal
- ● Sonstiges
- 🛁 Bad

Die Beschreibung der einzelnen Orte, historisch, kulturell oder naturkundlich interessante Gegebenheiten entlang der Route tragen weiterhin zu einem abgerundeten Reiseerlebnis bei. Diese Textblöcke sind kursiv gesetzt und unterscheiden sich dadurch auch optisch vom eigentlichen Routentext.

Zudem gibt es kurze Textabschnitte in den Farben violett oder orange, mit denen wir Sie auf bestimmte Gegebenheiten aufmerksam machen möchten:

Textabschnitte in violett heben Stellen hervor, an denen Sie Entscheidungen über Ihre weitere Fahrstrecke treffen müssen; z. B. wenn die Streckenführung von der Wegweisung abweicht, oder mehrere Varianten zur Auswahl stehen u. ä.

Textabschnitte in Orange stellen Ausflugstips dar und weisen auf interessante Sehenswürdigkeiten oder Freizeitaktivitäten etwas abseits der Route hin.

Das Symbol ⚠ bezeichnet schwierige Stellen, an denen zum Beispiel ein Schild fehlt, oder eine Routenführung unklar ist. Sie finden das Zeichen an derselben Stelle in der Karte wieder, so dass sie wissen auf welches Wegstück sich das Symbol bezieht.

Übernachtungsverzeichnis

Auf den letzten Seiten dieses Radtourenbuches finden Sie zu fast allen Orten an der Strecke eine Auswahl von günstig gelegenen Hotels und Pensionen. Dieses Verzeichnis enthält auch Campingplätze, Heuherbergen und Jugendherbergen. Einfacher und ohne größeren Zeit- und Geldaufwand für Sie ist es, die Buchung über die regionalen Touristinformationen abzuwickeln. Ab Seite 88 erfahren Sie Genaueres.

9

Nationalpark Schleswig-Holsteinisches Wattenmeer

Die drei deutschen Nationalparke an der Nordseeküste schützen das größte Wattgebiet der Welt mit seinen Tieren und Pflanzen. 1985 wurde der Nationalpark Wattenmeer in Schleswig-Holstein gegründet. Mit 441.500 ha ist er größte Nationalpark in Deutschland.

Einmaliger Lebensraum

Das Wattenmeer ist eine Landschaft, die durch den Einfluss von Ebbe und Flut ständig ihr Gesicht verändert. An den stetigen, extremen Wechsel von Salzwassereinfluss und Trockenheit müssen sich die hier lebenden Tiere und Pflanzen anpassen.

Salzwiesen vor den Deichen und auf den nordfriesischen Halligen sind Lebensraum spezialisierter Pflanzen und Tiere. Für die Küstenvögel sind die Salzwiesen ein Brutgebiet von internationalem Rang, über 100.000 Brutpaare werden jährlich gezählt.

Für etwa 10 – 12 Millionen Zugvögel ist das Wattenmeer die ideale Zwischenstation: Auf dem Weg zwischen Brut- und Überwinterungsgebieten können sie rasten und sich die nötigen Reserven anfressen. Denn direkt unter der Oberfläche kriecht und krabbelt es: Würmer, Schnecken und Muscheln kommen im Wattboden in unvorstellbarer Dichte von bis zu 100.000 Exemplaren pro Quadratmeter vor.

Natur Natur sein lassen

Ziel des Nationalparks ist die natürliche Entwicklung des schleswig-holsteinischen Wattenmeeres und die Bewahrung seiner besonderen Eigenart, Schönheit und Ursprünglichkeit. Bitte respektieren Sie die Natur, und beachten Sie bitte Schilder und Hinweise, die ein besonders geschütztes Gebiet bezeichnen – die stehen da, wo sie stehen, aus gutem Grund.

Naturerlebnis im Nationalpark

Den naturinteressierten Gast erwartet ein großes Angebot, um sich über die Bedeutung des Lebensraumes zu informieren. Es gibt Informationszentren mit Ausstellungen, Vorträgen, Dia-Shows an verschiedenen Orten der Westküste. Die Mitarbeiterinnen und Mitarbeiter des Nationalpark-Service und der Naturschutzverbände sind im Einsatz, um den Gästen den Nationalpark näherzubringen. Ein echtes Erlebnis ist eine Wattwanderung im Nationalpark Wattenmeer. Am besten ist es, sich einer geführten Wattwanderung anzuschließen: Die Nationalpark-Wattführer kennen das Wattenmeer wie ihre Westentasche und wissen auch viel Spannendes über den Lebensraum zu berichten.

An vielen Übergängen in den Nationalpark gibt es ein System von Infopavillons, Infotafeln und Karten, Lehrpfaden, die der Gast nutzen kann.

Informationen

Weitere Informationen über naturkundliche Angebote in allen Nationalpark-Informationszentren und bei der

Nationalpark Service GmbH
Schlossgarten 1, 25832 Tönning
Tel. 04841/616-50, www.wattenmeer-nationalpark.de

Von Hamburg nach Brunsbüttel

110 km

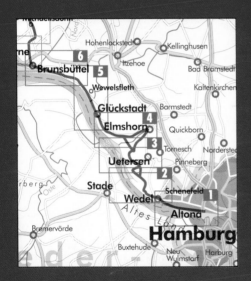

Die Hansestadt und Hafenmetropole Hamburg ist selbstverständlich der krönende Startpunkt für Ihre Tour entlang der schleswig-holsteinischen Nordseeküste. Anfangs werden Sie jedoch von der Nordsee noch nicht viel zu Gesicht bekommen. Zu Beginn ist erst einmal die Elbe Ihre Begleiterin. Hinter Hamburg kommen Sie über Blankenese und Wedel in das moderne und interessante Elmshorn und gelangen dann in der Folge in das bezaubernde Städtchen Glückstadt. Von dort aus geht es dann weiter durch die Wilstermarsch nach Brunsbüttel, eine Stadt geprägt von ihrer Lage direkt am Nord-Ostsee-Kanal.

Der Nordseeküsten-Radweg verläuft in diesem Teilabschnitt vor allem auf ruhigen Landstraßen, straßenbegleitenden Radwegen oder asphaltierten Deichwegen.

Hamburg

PLZ: 20015; Vorwahl: 040

i **Tourismus-Zentrale Hamburg GmbH**, Postfach 102249, ✆ 300 51-300

i **Tourismusinformation im Hauptbahnhof**, Hauptausgang Kirchenallee, ✆ 300 51-200. ÖZ: tägl. 7-23 Uhr.

i **Tourismusinformation am Hafen**, St.-Pauli-Landungsbrücken, Zwischen Brücke 4 und 5, ✆ 300 51-200.

● **Hamburg-Card**, dieser Fahrschein für U- und S-Bahn in Hamburg inkludiert auch den freien Eintritt in 11 Hamburger Museen sowie bis zu 30 Prozent Ermäßigung bei Hafen-, Stadt- und Alsterrundfahrten sowie bei der Besichtigung des Windjammers Rickmer Rickmers und des Frachtschiffes Cap San Diego. Es gibt eine Tageskarte oder eine Dreitageskarte, Infos bei den Touristinfos.

🚢 **Große Hafenrundfahrt**, St.-Pauli-Landungsbrücken, ✆ 311707-0, 313130, 313959, 314644, 314280, 366681, 373168. Fährbetrieb: April-Okt.: tägl. 9-18 Uhr, halbstündlich; Nov.-März: tägl. 10.30-16.30 Uhr. Bei Bedarf zusätzliche Abfahrten während des ganzen Jahres. Dauer: ca. 1 Stunde.

🚢 **Englische Hafenrundfahrt**, Brücke 1. Fährbetrieb: März-Nov.: tägl. 11.15 Uhr. Dauer: 1 Stunde.

🚢 **Elbe-City-Jet** Hamburg-Stadersand. Dauer: 45 Minuten.

🚢 **Historische Fleet-Fahrt**, Vorsetzen (U Baumwall),

🚢 ✆ 373168. Abfahrten: 1. 4.-31. 10., tägl. 11.30 u. 14.30 Uhr. Dauer: ca. 2 Stunden.

🚢 **Anleger Jungfernstieg**: Alster-Rundfahrten, Fleet-Fahrten, Kanal-Fahrten, Vierlande-Fahrten, Teich-Fahrten, Dämmertörn, Alster-Kreuz-Fahrt und Dampfschiff-Törn. Abfahrtzeiten bitte bei der Tourismus-Zentrale erfragen oder bei der Alster-Touristik.

Hamburg – An der Alster

🏛 **Hamburger Kunsthalle**, Glockengießerwall 1, ✆ 42854-2612. ÖZ: Di-So 10-18 Uhr, Do bis 21 Uhr. Kunst von der Renaissance bis zur Gegenwart.

🏛 **Museum für Kunst und Gewerbe**, Steintorplatz 1, ✆ 42854-2630. ÖZ: Di-So 10-18 Uhr, Do bis 21 Uhr. Plastik und angewandte Kunst Europas, graphische Sammlungen, Geschichte der Fotografie.

🏛 **Museum für Hamburgische Geschichte**, Holstenwall 24, ✆ 42841-2380. ÖZ: Di-So 10-18 Uhr, Mo 13-17 Uhr. Hamburg im Mittelalter und in der Neuzeit.

🏛 **Altonaer Museum/Norddeutsches Landesmuseum**, Museumstr. 23, ✆ 42811-514. ÖZ: Di-So 10-18 Uhr. Kunst- und Kulturgeschichte Norddeutschlands, Fischerei und Schiffahrt.

🏛 **Hamburgisches Museum für Völkerkunde**, Rothenbaumchaussee 64, ✆ 42848-524. ÖZ: Di-So 10-18 Uhr, Do bis 21 Uhr. Schausammlungen aus Afrika, Amerika, Asien, Australien, Europa und der Südsee.

🏛 **KZ-Gedenkstätte Neuengamme**, Jean-Dolidier-Weg, ✆ 4289603. ÖZ: Di-Fr 10-17 Uhr, So 10-18 Uhr (Okt.-März: bis 17 Uhr). Geschichte des Konzentrationslagers 1938-45.

🏛 **Krameramtswohnungen**, Krayenkamp 10, ✆ 37501988. ÖZ: Di-So 10-17 Uhr. Historische Witwenwohnung des Krameramtes.

🏛 **Museum für Bergedorf und die Vierlande**, Bergedorfer Schloss, ✆ 42891-2509. ÖZ: Di-Do u. Sa/So 10-17 Uhr. Zeugnisse städtischer und bäuerlicher Kultur.

🏛 **Jenischhaus**, Baron-Vogt-Str. 50, ✆ 828790. ÖZ: April-Sept.: Di-So 10-17 Uhr; Okt.-März: Di-So 10-16 Uhr. Beispiele großbürgerlicher Wohnkultur des 16.-19. Jh.

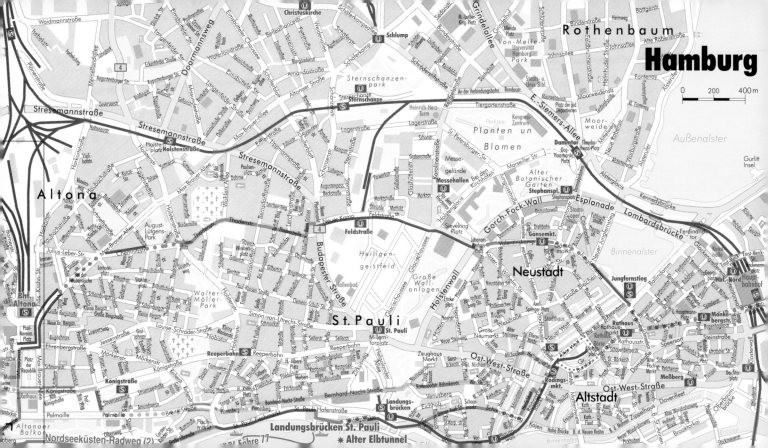

🏛 **Hamburger Museum für Archäologie und die Geschichte Hamburgs — Helms-Museum —**, Museumsplatz 2, ☎ 42871-606. ÖZ: Di-So 10-17 Uhr. Ur- und Frühgeschichte Hamburgs und der näheren Umgebung.

🏛 **Freilichtmuseum Rieck-Haus**, Curslacker Deich 284, ☎ 723 12 23. ÖZ: April-Sept.: Di-So 10-17 Uhr; Okt.-März: Di-So 10-16 Uhr. Vierländer Freilichtmuseum.

🏛 **Museum der Arbeit**, Maurienstr. 19, ☎ 42832-2364. ÖZ: Mo 13-21 Uhr, Di-Sa 10-17 Uhr, So 10-18 Uhr. Einblicke in die Lebens- und Alltagswelt des Industriezeitalters und in für Hamburg typische Arbeitsbereiche.

🏛 **Speicherstadtmuseum**, St. Annenufer 2 im Block R, ☎ 321191. ÖZ: Di-So 10-17 Uhr. Die Arbeit in den Speichern und die Geschichte der Speicherstadt.

🏛 **Erotic Art Museum**, Nobistor 10a, ☎ 3178410. ÖZ: tägl. 10-24 Uhr. Thema: Dauerausstellung erotischer Kunst aus mehreren Jahrhunderten

Hamburg

🏛 **Museumsschiff — Windjammer Rickmer Rickmers**, St.-Pauli-Landungsbrücken, Brücke 1, ☎ 319 59 59. ÖZ: tägl. 10.00-17.30 Uhr. Ehemaliger Ostindien-Fahrer. Als Museumsschiff und schwimmendes Denkmal soll die Rickmer Rickmers an die Zeiten erinnern, als der Wind die Schiffe über die Weltmeere trieb.

🏛 **Museumsschiff — Cap San Diego**, Überseebrücke, ☎ 364209. ÖZ: tägl. 10-18 Uhr. Letzter erhaltener klassischer Stückgutfrachter. Der 'Weiße Schwan des Südatlantiks' wurde 1962 auf der Deutschen Werft Hamburg erbaut und für im Liniendienst für die Reederei Hamburg-Süd die südamerikanische Ostküste an.

🏛 **Das Feuerschiff**, City Sporthafen Hamburg, Vorsetzen, ☎ 362553, -54. ÖZ: tägl. 11-1 Uhr, So 9.30-22.30 Uhr. Nach alter Tradition in Nietenbauweise errichtetes Schiff. Zu Besichtigen ist das reichhaltige maritime Equipment.

🏛 **Panoptikum**, Spielbudenplatz 3, ☎ 310317. ÖZ: Mo-Fr 11-21 Uhr, Sa 11-24 Uhr, So 10-24 Uhr. Von Mitte Januar bis Anfang Februar geschlossen. Hier sind weit über 100 Persönlichkeiten aus Politik, Geschichte und Showgeschäft zu sehen, so zum Beispiel die Beatles, die in Hamburg ihre Karriere begannen.

⛴ **Övelgönne** — langgestrecktes Lotsendorf am Elbanleger Neumühlen. In dieser Elbidylle säumen alte Häuser mit verträumten Veranden die Uferstraße. Hier befindet sich auch der **Museumshafen Övelgönne**, ☎ 390 00 79. Rund 20 Oldtimerschiffe sind hier zu besichtigen. Stolz des Hafens ist das ehemalige Feuerschiff Elbe 3.

⛴ **Blankenese** - Ehemaliges Kapitäns-, Lotsen- und Fischerdorf mit dem einzigartigen verschachtelten Treppenviertel. Sehenswert ist auch der nahegelegene Hirschpark mit dem Godeffrroy-Haus aus dem Jahre 1792.

⛴ **St. Michaels** (1751-62). Der Kirchturm, der „Michel", ist das Wahrzeichen der Hansestadt. St. Michaelis ist die bedeutendste Barockkirche Norddeutschlands.

⛴ **St. Katharinen** (1350-1420). Eine Figur der Heiligen Katharina steht auf dem 115 Meter hohen Turm.

⛴ **St. Petri** (12. Jh.), Mönckebergstraße. Nach dem Großen Brand von 1842 neu errichtet. Sehenswert ist die berühmte Arp-Schnitger-Orgel von St. Jacobi.

⛴ **St. Nicolai-Kirche**. Hier ist das Altarmosaik nach einem Entwurf des Künstlers Oskar Kokoschka zu bewundern.

⛴ **Alte St. Nicolai-Kirche**. Sie wurde im 2. Weltkrieg zerstört.

Die Turmruine blieb als Mahnmal erhalten.

🏛 **St. Marien**, St. Georg. Gut zu erkennen an ihrem Doppelkirchturm. Sie ist die katholische Hauptkirche und Sitz des Hamburger Bischofvikars.

🏛 **Rathaus**, ✆ 3681-2470. Führungen: Mo-Do 10-15 Uhr, Fr-So 10-13 Uhr, halbstündlich engl. und franz. Führungen: Mo-Do 10.15-15.15 Uhr, Fr-So 10.15-13.15 Uhr, stündlich. 1886-97 im Stil der Neo-Renaissance erbaut. Mit 647 Räumen besitzt das Rathaus sechs Zimmer mehr als der Buckingham-Palace. Sitz des Senats und der Bürgerschaft.

🏛 **Ahrensburger Schloss**, ✆ 04102/42510. Das durch Peter Rantzau 1595 errichtete Schloss ist ein Kleinod der Renaissancebaukunst.

🏛 **Bergedorfer Schloss** (13. Jh.). Wasserburg. Hier ist auch das Bergedorfer Museum untergebracht (s.o.).

🏛 **Reinbeker Schloss**, ✆ 727 34 60. 1576 durch den Herzog Adolf von Gottorf im niederländischen Renaissance-Stil errichtet.

🏛 **Börse**, Adolphplatz. ÖZ: Mo-Fr ab 11.15 Uhr; Führungen für Gruppen unter ✆ 367444. Die Börse wurde 1558 gegründet

Hamburg

und ist die älteste Börse Deutschlands.

🏛 **Speicherstadt**. Führungen: Di, Start: U Baumwall, Ausgang Speicherstadt, 14.30 Uhr. Mitten im Freihafen zwischen Deichtorhallen und Baumwall liegt die hundertjährige Speicherstadt. Hinter der Fassade der wilhelminischen Backsteingotik der Gründerzeit lagern edle Güter: Kaffee, Tee, Kakao, Gewürze, Tabak, Computer und das größte Orientteppichlager der Welt.

🐘 **Hagenbecks Tierpark**, U Hagenbecks Tierpark, ✆ 540 00 147, - 48. ÖZ: tägl. 9 Uhr. Mai-Juni: Dschungelnächte. Mehr als 370 Tierarten in 54 Freigehegen. Tropenarium.

🌳 **Alsterpark**. Am grünen Alsterufer von Harvestehude gelegen.

🌳 **Binnen- und Außenalster**. Sie entstand 1235, als ein Damm die Alster staut und die Alsterniederung überflutet wird.

🌳 **Planten un Blomen**. Hier gibt es einen Botanischer Garten mit einem Tropenhaus, den größten Japanischen Garten Europas und die in Europa einmalige Wasserlichtorgel.

● **Imperial Theater**, Reeperbahn 5, ✆ 300 51-600.

● **Neue Flora**, Stresemannstr/Ecke Alsenplatz, ✆ 300 51-

350. Musical: Phantom der Oper.

● **Buddy-Musicaltheater**, Im Hamburger Hafen ggü. St. Pauli Landungsbrücken, ✆ 300 51-150. Musical: Buddy.

● **Operettenhaus**, Spielbudenplatz 1, ✆ 300 51-350. Musical: Cats.

● **Deutsches Schauspielhaus**, Kirchenallee 39/41, ✆ 248713

● **Ohnsorg-Theater**, Große Bleichen 23, ✆ 300 51-550.

● **Schmidts TIVOLI**, Spielbudenplatz 24, ✆ 300 51-400.

● **Thalia-Theater**, Alstertor, ✆ 300 51-300.

● **Stadtrundfahrten**. Top-Tour, Gala-Stadtrundfahrt, Hamburg bei Nacht, mit der Hummelbahn oder im roten Doppeldecker, Große Lichterfahrt mit der Hummelbahn u. a.: Abfahrtszeiten und Preise bitte bei der Tourist-Information erfragen.

● **Stadtrundgänge**. Hamburger Stadtrundgänge zu den verschiedensten Themen werden von der Tourismus-Zentrale, ✆ 300 51-300 sowie von Stattreisen Hamburg e.V., ✆ 430 34 81 durchgeführt.

● **Planetarium**, Hindenburgstr. Öl, ✆ 514 98 50. Auf der 21 Meter großen Planetariumskuppel wird der Sternenhimmel naturgetreu projiziert. Vorführungen mit monatlich wechselnden Themen: Mi u. Fr 18.00 Uhr, So 11.00, 14.30 u. 16.00 Uhr. Ausstellung zur Geschichte der Himmelskunde und Astronomie, Aussichtsturm: So-Fr 10.00-14.45 Uhr.

● **Bord-Party**, ✆ 313687

- Riverboat-Party, ✆ 319 38 24
- Störtebekers Seefahrergelage, ✆ 227 42 375
- Prüsse's Bordparty, ✆ 313130
- Swingin' Hafensafari, ✆ 474462

Hamburg – die mehr als 1000 Jahre alte Hansestadt, pulsierende Metropole für 1,7 Millionen Hanseaten, Attraktion für täglich 150.000 Touristen. Vom Turm des „Michel", der Hauptkirche St. Michaelis bekommt man einen Eindruck von der Elb-Seite. Ein Blick vom „Tele-Michel", dem Fernsehturm, macht klar, dass Hamburg auch an der Alster liegt. Hafenstadt, Industriestandort und Medienmetropole – beim NDR in Lokstedt entsteht täglich die Tagesschau.

Zwischen dem 13. und dem 16. Jahrhundert war Hamburg Mitglied des Hanseatischen Städtebundes und der Reichtum der hanseatischen Kaufleute hat die Stadt groß gemacht. Daran erinnern heute noch das sehenswerte, prunkvolle Rathaus, die Börse, die Speicherstadt, das Deichstraßen-Viertel und viele traditionelle Kontor-Häuser.

Hamburg ist aber trotz aller Traditionen auch eine junge Stadt. Das macht sich vor allem in dem 200 Jahre alten Stadtteil St. Pauli bemerkbar, das einerseits zwar als Hochburg der Prostitution abgestempelt wird, andererseits aber in den letzten Jahren deutlich an Attraktivität gewonnen hat. Wenn Sie die vielen Facetten dieses spannenden Hamburger Stadtteiles entdecken wollen, dann empfiehlt sich ein Streifzug mit den Gästeführerinnen der Tourismus-Zentrale. Denn tagsüber wirkt die 600 Meter lange Reeperbahn ruhig und gar nicht verrucht. 35.000 Menschen wohnen hier und in den Seitenstraßen des 2,5 Quadratkilometer großen Stadtteils. Das weltberühmte Leben auf der „sündigen Meile" beginnt mit Einbruch der Dunkelheit. Dann erstrahlen die Fassaden im Neonlicht, von neun Uhr abends bis vier Uhr früh stehen im Sperrbezirk die Damen vom Kiez.

Das neue St. Pauli, wo sich die jungen Leute

Hamburg

in vielen Kneipen die Tür in die Hand geben, liegt am Spielbudenplatz, der anderen Straßenseite der Reeperbahn.

Aber ebenso wie die Reeperbahn, so ist der Hafen für jeden Hamburg-Besucher ein Muss. Und wer ihn richtig erleben will, der muss ihn zu Fuß erobern. Nach einem Bummel durch die historische Deichstraße eröffnet sich der Blick auf die schöne Fassade der alten Kontorhäuser in der Speicherstadt, wo es nach Kaffee, Kakao und Gewürzen riecht.

Mit einer der vielen Hafenbarkassen lässt sich dieser Teil der Stadt aber auch bestens vom Wasser aus erkunden. Nach dem Besuch der Speicherstadt fahren die Barkassen vorbei an den sehenswerten Museumsschiffen „Cap San Diego" und „Rickmer Rickmers" in die großen Hafenbecken. Zum Greifen nahe kommen Sie an die Container-Riesen heran, **17** die im Container-Terminal ent- und beladen werden.

Ein Erlebnis im Hafen ist auch der Alte Elbtunnel. Mit einem hölzernen Fahrstuhl geht es in die Tiefe, mit ihm können sogar Autos transportiert werden.

Wenn Sie die Stadt auf dem Nordseeküsten-Radweg verlassen, dann passieren Sie unter anderem auch den Fischmarkt. Das bunte Treiben findet hier Sonntags zwischen 6 und 9.30 statt. und in der historischen Fischauktionshalle wird gefrühstückt. Weiter geht es dann nach Övelgönne, eines der beliebtesten Ausflugsziele der Hamburger. Seit 20 Jahren liegen hier Hamburgs Schiffs-Oldtimer im Museumshafen vor Anker.

Blankenese

Von Hamburg Altona nach Wedel 20 km

Tipp: Der Startpunkt des Nordseeküsten-Radweges in Hamburg ist selbstverständlich beliebig wählbar. Aus dem Stadtplan entnehmen Sie mögliche Routenführungen, die Sie vom Zentrum aus ans Elbufer führen. Falls Sie Hamburg intensiver mit dem Rad erkunden wollen, dann empfehlen wir Ihnen zusätzlich den *bikeline*-Radstadtplan Hamburg (Karten Maßstab 1 : 20.000). Als Fixpunkt für den Startbeginn der Routenbeschreibung haben wir jedoch den Bahnhof Altona gewählt.

Beachten Sie jedoch auch, dass der Nordseeküsten-Radweg nicht nur nach Schleswig-Holstein führt, sondern auch entlang der niedersächsischen Küste (*bikeline*-Radtourenbuch Nordseeküsten-Radweg Teil 2, erscheint 2001)

Wenn Sie am **Bahnhof Altona** starten, dann fahren Sie auf dem Radweg entlang der **Max-Brauer-Allee** Richtung Elbufer ~ beim **Platz der Republik** folgen Sie dem Radweg nach rechts ~ wenn der Radstreifen in einen Radweg übergeht, dann überqueren Sie die Straße und fahren weiter durch die **Betty-Levy-Passage** ~ Sie überqueren die große Straße und fahren Richtung **Museumshafen** in die **Kaistraße** ~ auf Kopfsteinpflaster auf der Straße **Neumühlen** weiter ~ beim Wendeplatz geradeaus auf dem Fuß- und Radweg ~ bevor Sie zum Strand kommen, rechts in den **Övelgönner Mühlenweg** und bald darauf wieder links in den Fußweg ~ immer am Elbufer entlang fahren Sie nun nach Blankenese.

Blankenese

Viele reetgedeckte Kapitäns- und Lotsenhäuser stehen im ehemaligen Elbfischerdorf dicht an dicht und treppauf treppab. 5.000 Stufen gilt es zu erklimmen, und die Aussicht ist fabelhaft. Die Kleinbuslinie 48, von den Blankenesern liebevoll „Bergziege" genannt, fährt alle 10 Minuten vom Strandweg zum S- Bahnhof Blankenese.

Von Blankenese aus halten Sie sich immer so nah wie möglich am Ufer ~ hinter dem

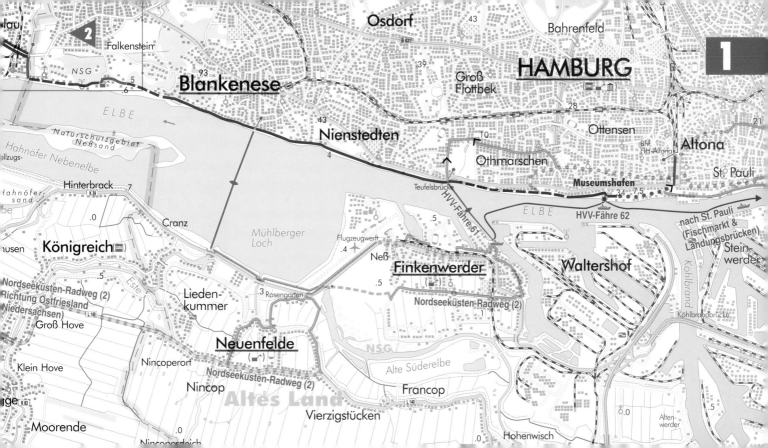

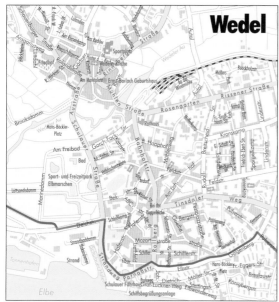

Wedel

und den Parkplätzen vorbei zurück zur Elbe — unbefestigt geht es nun weiter — vor der Mineralöl-Raffinerie beim Parkplatz rechts (Achtung Treppenstück mit Schiebemöglichkeit) an der Hauptstraße links auf den Radweg.

Sie treffen auf eine Vorfahrtsstraße, den **Tinsdaler Weg** und folgen diesem nach links — in die erste Straße erneut links zum **Kraftwerk Wedel** — direkt vor dem Kraftwerk rechts in den Rad- und Fußweg — geradeaus in die Wohnsiedlung auf die **Pulverstraße** — an der Querstraße **Galgenberg** links — an der Elbe weiter auf dem **Strandweg**, der Radweg setzt hier kurze Zeit aus.

Wedel

PLZ: 22880; Vorwahl: 04103

🛈 **Tourismus- u. Gewerbeverein**, Rathausplatz 3-5, ✆ 707707

🏛 **Museum**, Mühlenstraße, ✆ 918291, ÖZ: Di-So 10-12 und 15-18 Uhr. Geburtshaus und nun Museum des Bildhauers,

Wedel – Schulauer Fährhaus

Graphikers und Dichters Ernst Barlach und einiger seiner Zeitgenossen.

🏛 **Heimatmuseum**, Küsterstr. 5, ✆ 13202, ÖZ: Do-Sa 14-17 Uhr, So 10-12 Uhr und 14-17 Uhr.

⛴ **Willkommhöft**, Schulauer Fährhaus, ✆ 83094. Schiffsbegrüßung: Tägl. 8 Uhr bis Sonnenuntergang (im Sommer 8-20 Uhr). Jedes ein- und auslaufende Schiff über 500 BRT wird mit der jeweiligen Nationalhymne und einem Flaggengruß

Campingplatz geht es auf einer normalen Straße leicht bergauf — Sie biegen aber sobald wie möglich wieder links ab, am Gasthof

begrüßt oder verabschiedet. Im Keller der Schiffsbegrüßungsanlage befindet sich ein **Buddelschiffmuseum** und ein Muschelmuseum, ✆ 9200-0.

🏛 **Rolandsfigur auf dem Marktplatz.**

🚲 **Fahrradverleih** Köhler, ✆ 2495, Bahnhofstr. 69

🚲 **Fahrradreparatur** Langbehn, ✆ 85334, Rolandstr. 1

Die Rolandsfigur auf dem Marktplatz, die vermutlich 1558 entstand, zeugt von der uralten Tradition der Ochsenmärkte, die Wedel im 17. Jahrhundert zu großem Wohlstand verhalfen.

Von Wedel
nach Neuendeich   21 km

Nach dem Deich und den Hochwassersperranlagen links Richtung **Hamburger Jachthafen** in die **Deichstraße** — vor dem Hafen rechts in die Straße **Zum Lüttsandsdamm** — durchs Gatter hindurch und am Deich entlang — nach 5-6 Kilometern verlassen Sie den Deich wieder

Wedeler Roland – das Wahrzeichen der Stadt

— an der Kläranlage Hetlingen vorbei — an der Vorfahrtsstraße geradeaus auf den Radweg nach Hetlingen — durch den Deichdurchlass und geradeaus auf der **Schulstraße** in den Ort — an der Hauptstraße dann nach links.

Hetlingen

Gegen Ortsende beginnt rechts der Straße ein Rad- und Fußweg — Sie kommen nach Haseldorf und folgen dem Straßenverlauf, rechts zweigt die Straße nach Haselau ab — am Schloss und Gutshof vorbei.

Haseldorf
PLZ: 25489; Vorwahl: 04129

ℹ **Tourismus in der Marsch e.V.,** Oberrecht 7b, 25436 Neuendeich, ✆ 04122/901460

🏛 **St. Gabriel-Kirche** 13. Jh.

🏛 **Bandreißer Kate** von 1764, Haseldorf-Lüchau, Achtern Dörp 3, ÖZ: jeder 1. So im Monat 15-17 Uhr (Vorführung des Handwerks) und nach Voranmeldung ✆ 1033, das Bauernhaus war später die Werkstatt eines Bandreißers (Fassbinder)

🚲 **Infozentrum des NABU** Betriebsgebäude Deichmeisterei Haseldorf, Hafenstr., ÖZ: Mi 14-17 und So 11-16 Uhr

🚲 **Fahrradverleih** Jaspo, Hauptstr. 26, ✆ 04129/1358

Sie fahren auf der Ortsdurchfahrtsstraße nach **Scholenfleth** — in **Mühlenwurth** biegen Sie dann rechts ab in den **Großen Landweg** — die kleine asphaltierte Straße geleitet Sie durch die Obstgärten nach Haselau.

Haselau

An der Querstraße links auf einem straßenbegleitenden Radweg — auf Höhe der Mühlendekoration-Ausstellung an der Vorfahrtsstraße rechts — über die Pinnau auf der **Drehbrücke Klevendeich** und weiter nach Neuendeich.

Tipp: Wenn Sie einen Abstecher nach Uetersen unternehmen möchten, folgen Sie dem grünen Schild des Rundwanderweges Nr. 12 (nach der Pinnau rechts, nach 3-4 Kilometern ist der Ort erreicht).

Uetersen
PLZ: 25436: Vorwahl: 04122

ℹ **Stadt Uetersen,** Wassermühlenstr. 7, ✆ 7140

🏛 **Kloster**

🚲 **Rosarium**

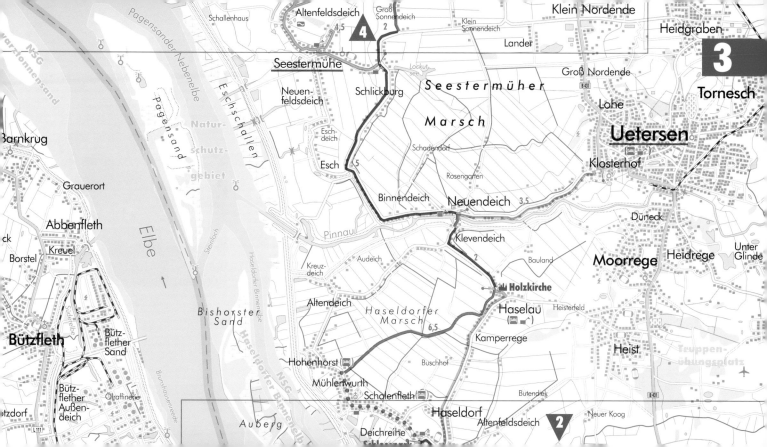

Neuendeich

PLZ: 25436; Vorwahl: 04122

🛈 **Tourismus in der Marsch e.V.**, Oberrecht 7b, 25436 Neuendeich, ✆ 901460

🏛 **Drehbrücke Klevendeich**. Mit ca. 110 Jahren ist sie die älteste ihrer Art in Schleswig-Holstein, sie verbindet die Seestermüher und Haseldorfer Marsch

🚲 **Fahrradverleih** Fahrrad-Scheune, Rosengarten 2, ✆ 42077

Von Neuendeich nach Elmshorn   **14 km**

Sie folgen dem Radweg entlang der K 19 dann in die entgegengesetzte Richtung zu Uetersen (regionale Radroute Nr. 11) ∼ Sie durchfahren das langgezogene Marschendorf Neuendeich ∼ es geht nun auf Seester zu.

Tipp: Links zweigt die Straße nach Seestermühe ab, Sie können hier einen kleinen Abstecher zu einer Gutsanlage mit Park und Museum machen und gelangen später wieder auf die Hauptroute.

Über Seestermühe

Biegen Sie von der Hauptroute links in die Straße In de Hörn/Dorfstraße ab ∼ in Seestermühe rechts in die Nörnstraße/Schulstraße zum Gutshof und Bürgerhaus.

Seestermühe

🏛 **Gutshof** und **Bürgerhaus**

Folgen Sie nach der Besichtigung dem Straßenverlauf Nörnstraße-Op de Weddern-Mühlenstraße durch das idyllische Dorf ∼ über Seesterdeich links in den Dieckhof und auf die Hauptroute.

Auf der Hauptroute fahren Sie weiter entlang der Kreisstraße ∼ nach der Rechtskurve links zur **Fischerkate Seester**.

Seester

🏛 **St. Johannes-Kirche,** Seester, ca. 1500, mit hölzernem Glockenstuhl und Friedhof mit Grabstein aus dem Jahre 1598

Auf der Dorfstraße gelangen Sie an die Kirche ∼ links bei der Kirche dem Weg folgen ∼ über eine kleine Holzbrücke und rechts in den Seesteraudeich.

Tipp: Wenn Sie auf einen Besuch in Elmshorn verzichten möchten, dann können Sie auch schon hier ganz in der Nähe mit der historischen **Fähre Kronsnest** über die Krückau übersetzen und weiter nach Glück-

Fähre Kronsnest

stadt fahren. Betriebszeiten: Mai-Okt., Fr, Sa, So 9-13 Uhr und 14-18 Uhr.

Dazu fahren Sie an dieser Weggabelung links immer am Deich entlang und nach zirka 500 Metern und zwei Kurven macht Sie rechter Hand ein Schild auf die Fähre aufmerksam.

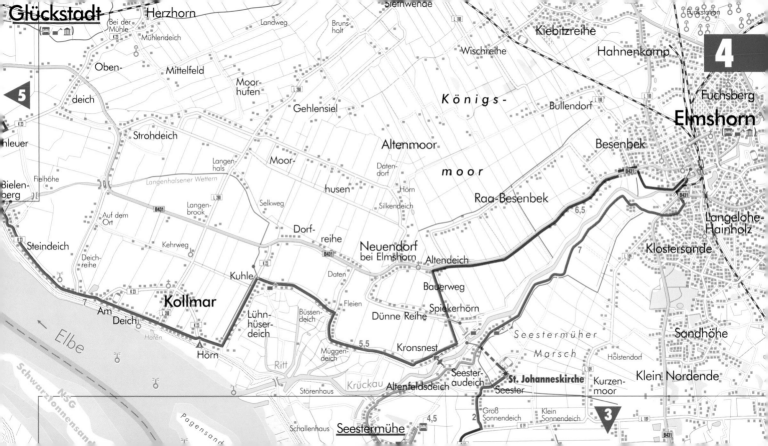

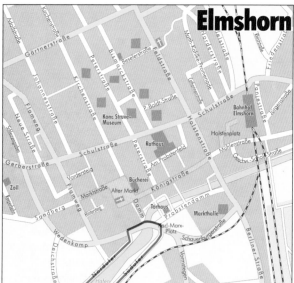

Elmshorn

große Querstraße , die **Wester-straße**, überqueren Sie ~ geradeaus in die **Blücherstraße** ~ kurz darauf links in die Straße **Klostersande** ~ links in die Hafenstraße ~ über die Reichenstraße ~ am Südufer der Krückau gelangen Sie an den Wedekamp ~ für die Weiterfahrt wenden Sie sich hier nach links, das Zentrum liegt vor Ihnen.

Elmshorn

PLZ: 25335; Vorwahl: 04121

🛈 **Stadtmarketing**, Königstr. 17, ✆ 266074

o. **Verkehrs- und Bürgerverein**, Im Torhaus, ✆ 268632

🏛 **Industriemuseum**, Catharinenstr. 1, ✆ 268870, ÖZ: Di, Fr u. Sa 14-17 Uhr, Mi u. So. 10-12 u. 14-17 Uhr, Do 14-19 Uhr, in diesem aus dem Jahre 1895 stammenden Fabriksgebäude ist die Geschichte von Leben und Arbeit in der Industriezeit dokumentiert.

⚓ **jüdischer Friedhof**, Feldstraße 42

⚓ **Nikolai-Kirche** mit Tonnengewölbe und Arp-Schnittger-Orgel

1991 konnte Elmshorn sein 850-jähriges Stadtjubiläum feiern. Trotzdem Karl X. Gustav die Stadt im Jahre 1657 niederbrennen ließ, wurde sie wenige Jahre später zunftberechtigter Flecken. Im Zuge der Industrialisierung schaffte es Elmshorn bis 1910 das Wirtschaftszentrum Südwestholsteins zu werden. Nach den Zerstörungen im 2. Weltkrieg und der großen Sturmflut 1962 ist die Stadt heute ein modernes Dienstleistungszentrum und sechstgrößte Stadt in Schleswig-Holstein.

Von Elmshorn nach Glückstadt   25 km

Sie verlassen Elmshorn entlang der Krückau auf dem Nordufer ~ über einen Sandweg gelangen Sie zur B 431 ~ Sie biegen hier links auf den straßenbegleitenden Radweg ein ~ nach rund 6 Kilometern entlang der B 431 zweigen Sie in Neuendorf nach links ab Richtung **Fähre Kronsnest** und **Spiekerhörn**.

Tipp: Nach zirka 2 Kilometern gabelt sich die Straße, links befindet sich die Gaststätte Fährhaus Spiekerhörn, rechts folgend gelangen Sie zur Fähre Kronsnest.

Sie kommen dann endlich an der lang angekündigten **Fischerkate** vorbei ~ immer am Deich entlang auf der kleinen Straße nach Elmshorn ~ an der Querstraße links ~ Sie fahren kurz darauf links in einen Radweg ~ die

Glückstadt

Sie folgen dem Verlauf der Vorfahrtsstraße, weiter geht's nach **Fleien** ~ in Fleien links in die Straße **Kuhle** ~ im Neuendorfer Ortsteil Kuhle wenden Sie sich am **Lühnhüserdeich** nach links ~ am Deich vorne macht die Straße einen Rechtsknick, Sie kommen nun nach Kollmar.

Kollmar
PLZ: 25377; Vorwahl: 04128

Wenn die Straße einen Rechtsbogen beschreibt, fahren Sie links weiter auf der Straße **Am Deich** ~ an der Querstraße, dem **Neuen Weg** geradeaus ~ weiter geht es auf der

Schulstraße ~ an der Straße **Große Kirchreihe** links ~ durch, Steindeich, **Bielenberg** und Schleuer hindurch und dann nach der weiten Rechtskurve und nach der Bushaltestelle in die Straße **Schleuerdeich** links hinein ~ über **Herrenfeld** zur B 431 ~ noch vor der Bundesstraße mit dem Kreisverkehr im spitzen Winkel links ~ vor den Hafenanlagen dann rechts in die Straße **Am Reethövel** ~ links über die Schleuse über den Binnenhafen nach Glückstadt hinein ~ von der Schleuse kommen geradeaus über die Querstraße ~ an der **Königstraße** fahren Sie nach rechts in die Stadtmitte.

Glückstadt
PLZ: 25348; Vorwahl: 04124

- 🛈 **Tourist-Information Glückstadt**, Große Nübelstr. 31, ✆ 937585.
- 🚢 **Fähre Glückstadt-Wischhafen**. ✆ 04124/2430. tägl. 6-19 Uhr, halbstündiger Pendelverkehr zwischen Wischhafen und Glückstadt per Autofähre, abends weitere Fähren in größeren Zeitabständen.
- 🚢 **Barkassenfahrten** auf der Elbe und deren Nebenflüssen, ✆ 91220

Glückstadt

- 🚢 **Fähre** Glückstadt-Wischhafen, ✆ 2430, jede halbe Stunde tagsüber, abends in größeren Abständen
- 🏛 **Detlefsenmuseum im Brockdorff-Palais**, Am Fleth 43, ✆ 937630. ÖZ: bis 31 Okt., Di 14-17 Uhr, Fr 14-18 Uhr, So 10-12 und 14-17 Uhr. Thema: Stadt- und Regionalgeschichte Glückstadts und der Elbmarschen. Ausstellungen zu Themen wie Brandschutz, Eisenbahn, Festungsmodell, Heringsfischerei, Landschaftsentstehung, Robbenschlag, Volkskunde, Walfang u.v.a.m. Mit Pllauderecke und Museumsgarten mit einer Remise für Bauwagen und Großgeräte.
- 🏛 **Historischer Marktplatz**. 7 Radialstraßen, 3 Pseudoradialstraßen und 2 den Markt tangential berührende Straßen führen von hier zu den früheren Stadttoren und Bastionen der

einstigen Festung. Verbunden werden die Radialstraßen durch eine Ringstraße und einen Rundweg.

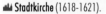 **Kandelaber.** Als Stiftung eines Glückstädter Bürgers wurde dieser Kandelaber 1869 an der Stelle des ehemaligen Marktbrunnen und Brunnenhauses errichtet.

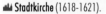 **Stadtkirche** (1618-1621). An der Ostseite des Marktes gelegen beeindruckt die Stadtkirche durch ihren schönen Barockturm und durch die Glücksgöttin Fortuna mit der Königskrone als Wetterfahne. Bemerkenswerte Innenausstattung: vier Messingkronen aus Glückstädter Produktion, Epitaphien, Kruzifix, Kanzel, Altar, Chorschränke, Emporenbemalung. Rechts vom Eingang befindet sich die Sturmflutmarke von 1756. Die linke Turmseite ziert den Admiralsanker, den Christian IV. 1630 nach seinem siegreichen Gefecht auf der Elbe vom Hamburger Admiralsschiff erbeutet hatte.

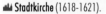 **Rathaus.** An der Westseite des Marktplatzes gegenüber der Kirche gelegen. Das in niederländischer Renaissance 1642 erbaute Gebäude weist große Ähnlichkeiten mit der Börse in

Glückstadt

Kopenhagen auf (sog. Baustil Christian IV., der sich durch roten Backstein, Sandsteineinfassungen der Fenster und Ziergiebel auszeichnet).

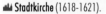 **Brockdorff-Palais** mit Ostdeutscher und Stolpermünder Heimatstube im Kavaliersflügel (ÖZ: So 14-17 Uhr). Erbaut 1631/32 vom Reichsgrafen Christian von Pentz, benannt nach der letzten adligen Besitzerfamilie im 19. Jh., zweigeschossiger Barockbau von 13 Fensterachsen, reich bemalte Balkendecken, barockes Treppenhaus mit Vestibül. Beherbergt Detlefsenmuseum und Stadtarchiv.

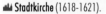 **Ehemaliges Gießhaus**, später Neues Zuchthaus, beherbergt derzeit einen Druckereibetrieb.

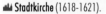 **Schloß Stolzenfels.** Altes Brückenhaus Am Hafen 61/62.

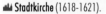 **Wasmer-Palais** (17. Jh.). Der barocke Kaminsaal wurde 1729 von dem italienischen Stukkateur Andrea Maini gestaltet. Drei reich stuckierte Decken befinden sich in den unteren Räumen. Ein Deckengemälde stellt beispielsweise eine Szene aus der griechischen Mythologie (Zeus und Semele) dar. Ehemals Sitz des Obergerichts und der Regierungskanzlei. Hier

erklärte 1807 Dänemark England den Krieg, nachdem Kopenhagen durch die Engländer beschossen worden war und nur noch die Glücksstädter Kanzlei funktionsfähig war. Es finden **Kammerkonzerte** statt.

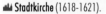 **Provianthaus.** Es ist das letzte Gebäude aus der Anlage des alten Königsschlosses am Hafen.

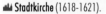 **Am Hafen.** Die gesamte Hafenstraße steht wegen des einmaligen Zusammenspiels der historischen Fassaden und dem grünen Deich unter Denkmalschutz (Ensembleschutz). Sie gilt als die bedeutendste Uferstraße Norddeutschlands. Besonders hervorzuhebende Häuser sind das Haus **Am Hafen 46** mit seinem prächtigen Sandsteinportal mit akanthus- und blütenverziertem Aufsatz (heute Galerie). Und das Haus **Am Hafen 40**, der sog. **Königshof** mit dem achteckigen **Wiebeke-Kruse-Turm**, der eine doppelt geschweifte Haube besitzt und den eine Wetterfahne mit Krone und Reichsapfel und einem Reiter schmückt. Der Turm ist der einzig erhaltene Teil des ersten Wohnhauses Christian IV., das er 1638 seiner geliebten Wiebeke Kruse schenkte.

● **Fleth.** Das Fleth mit den beiden parallel laufenden Straßen war und ist die Hauptverkehrsachse der Stadt. Im Rahmen der Stadtsanierung ist der offene Wasserlauf wieder hergestellt worden.

● **Stadtführungen** von Juni-Sept. jeden Sonntag 13.30-16 Uhr. Treff: Stadtkirche am historischen Marktplatz.

Fahrradverleih: Tourist-Info Gr. Nübelstr. 31, ☏ 937585

Fahrradreparatur Horn, Gr. Deichstr. 15, ☏ 5735

Christian IV., König von Dänemark und Herzog von Schleswig und Holstein, ließ 1616 den Bau einer neuen Stadt an der Elbe beginnen. Strategische Gründe bewogen ihn zu diesem Unternehmen. So sollte die Stadt als Ausgangpunkt seiner machtpolitischen Interessen in Norddeutschland dienen. Gleichzeitig versuchte der König den florierenden Handel der nahegelegenen Handelsstadt Hamburg in seine neue Stadt zu ziehen. Wegen des großen Wagnisses, in dem unwirtlichen Gelände an der Rhinmündung eine Stadt zu gründen, nannte er die Stadt Glückstadt. Hierbei soll Christian IV. folgende Worte gesprochen haben: „Dat schall glücken und dat mut glücken und denn schall dat ok Glückstadt heten" und verordnete seiner Stadt die Glücksgöttin Fortuna als Wappen. Angezogen von Steuerprivilegien und gewährter Religionsfreiheit kamen vor allem holländische Remonstranten und Mennoniten sowie portugiesische Juden nach Glückstadt, die über ausgedehnte Handelsbeziehungen und

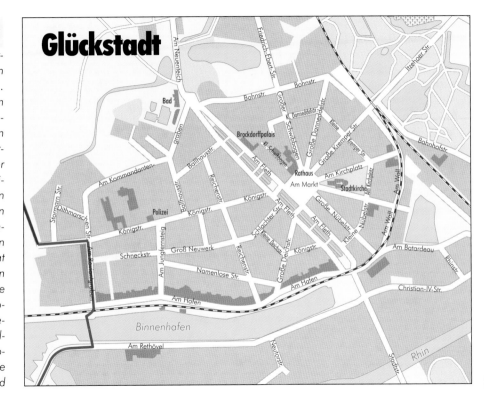

eine starke Wirtschaftskraft verfügten. Die Stadt entwickelte sich unter diesen guten Voraussetzungen zwar in kürzester Zeit zu einem florierenden Standort. Dennoch blieb die wirtschaftliche Entwicklung Glückstadts weit hinter den Erwartungen und Wünschen des Dänenkönigs zurück. Das Stadtbild ist geprägt von dem Grundriss der dem Ideal der italienischen Renaissance nachempfundenen polygonalen Radialstadt. Nach der umfassenden Stadtsanierung in den 70er und 80er Jahren gilt Glückstadt als Stadtdenkmal.

Von Glückstadt nach Brunsbüttel   30 km

Sie verlassen Glückstadt auf der **Königstraße** ~ beim Parkplatz am Deich rechts und parallel zum Deich weiter ~ Sie überqueren die **B 495**, die zur Fähre ans andere Elbufer führt ~ der Weg führt Sie dann auf die Deichaußenseite

vor dem Sperrwerk der Stör fahren Sie auf den Deich hinauf und dann links auf einem Radweg über die Stör ~ am anderen Ufer gleich wieder links durch das Gatter hindurch und weiter innen am Deich.

Tipp: Nach zirka 1,5 Kilometern können Sie nach rechts einen Abstecher zur Fahrradscheune (Ausstellung historischer Fahrräder) unternehmen.

An der Weggabelung zweigen Sie also entweder nach rechts zur Fahrradscheune ab, oder Sie fahren für die Weiterfahrt hier links ~ Sie biegen dann links auf die **Kreisstraße 41** ein ~ Sie fahren links am Kraftwerk entlang und kommen bald darauf nach Brokdorf.

Brokdorf

PLZ: 25576; Vorwahl: 04829

🛈 **Amt Wilstermarsch**, Kohlmarkt 25, 25554 Wilster, ☏ 04823/9482-0

🚲 **Fahrradverleih** Hotel Sell Elbblick, Dorfstr. 65, ☏ 900-0

● **Kernkraftwerk** Brokdorf, Informationszentrum, ☏ 752560, ÖZ: Mo-Do 7.30-16.20 Uhr, Fr. nach Vereinbarung

In Brokdorf macht die Straße einen Rechtsbogen ~ hier schwenken Sie nach links und über den Deich ~ außen am Deich fahren sie nun Richtung Brunsbüttel ~ auf dem asphaltierten Deichweg kommen Sie nach St. Margarethen, das rechts hinterm Deich versteckt liegt.

St. Margarethen

PLZ: 25572; Vorwahl: 04858

🚢 **Wilstener Marschenrundfahrt**, Bgm.-Zülch-Weg 3, Wilster, ☏ 04823/92610, jeden 2. u. 4. So im Monat, für Gruppen ab 10 Personen: jederzeit

Von St. Margarethen oder Brokdorf können Sie Ausflüge ins Landesinnere unternehmen, wie zum Beispiel zum tiefsten Punkt Deutschlands in Neuendorf bei Wilster. Dieser liegt 3,54 Meter unter dem Meeresspiegel. Oder Wilster selbst, das bereits 1282 seine Stadtrechte erhielt und mit historischen Baudenkmälern aufwarten kann.

Der Weg wird auf der Höhe von St. Margarethen kurzzeitig unbefestigt ~ genau unterhalb der Stromleitungen überqueren Sie den

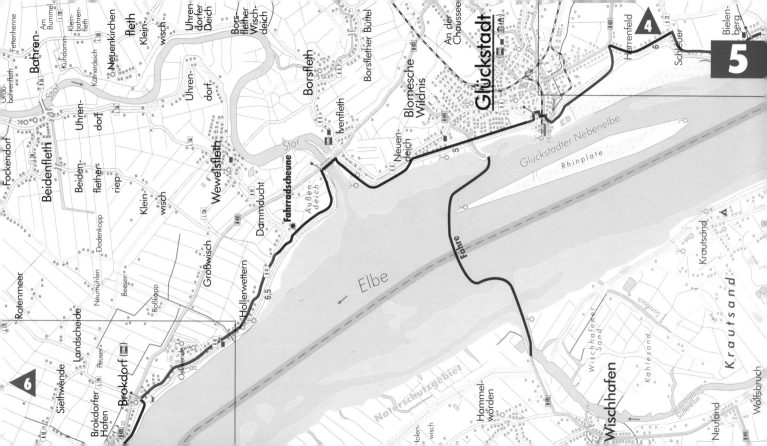

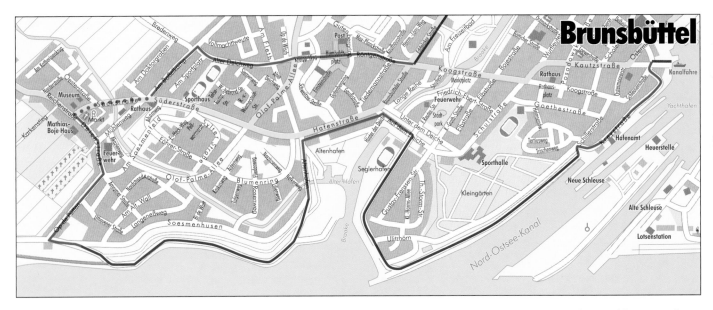

Deich und fahren an dessen Innenseite weiter, daher kurz vor der Hauptstraße links einbiegen ~ an der Kreisstraße links auf den straßenbegleitenden Radweg ~ der Radweg wechselt auf die rechte Straßenseite ~ Sie kommen zur Fähre über den **Nord-Ostsee-Kanal** nach Brunsbüttel ~ am anderen Ufer befinden Sie sich schon in Brunsbüttel.

Nach rechts zweigt die Straße nach St. Michaelisdonn ab, Sie fahren hier nach links am Geländer vorbei auf die **Schleusenstraße** dann links in die Kreystraße, am Yachthafen vorbei auf die Schleusenanlage zu ~ dann ein kurzes Stück gegen die Einbahnstraße, um gleich darauf links in die Schillerstraße abzubie-

gen ∼ bevor Sie dann zu den Schrebergärten kommen, geht der Radweg links ab direkt am Ufer entlang, anfangs nicht so gut zu befahren ∼ vor dem kleinen Leuchtturm dann rechts hinauf ∼ durch das Gatter hindurch und geradeaus weiter ∼ wenn die Straße einen Rechtsbogen macht, fahren Sie wieder auf dem Deich weiter ∼ durch ein Gatter auf eine kleine asphaltierte Straße ∼ dieser folgen Sie nach links ∼ es geht nun über den **Alten Hafen**.

Brunsbüttel

PLZ: 25541; Vorwahl: 04852

🛈 Tourist-Info, Markt 4, ✆ 9177

🚢 Nord-Ostsee-Kanal, ✆ 8850, alle 10 Minuten, 23.00-5.30 Uhr alle 20 Minuten

🚢 Brunsbüttel-Cuxhaven, Fährhafen, Elbe-Ferry GmbH, ✆ 5494-12, alle 2 Stunden zwischen 6 und 20 Uhr (Sommerfahrplan April-Mitte November), Fahrtdauer zirka 1 Stunde

🚢 Personen-Schifffahrt Brunsbüttel, ✆ 04823/92610, Ausflugsfahrten auf den Nord-Ostsee Kanal

🏛 Heimatmuseum, Am Markt 4, ✆ 7212, ÖZ: Di-So 14-17 Uhr, Mi 10-12 u. 14-17 Uhr. Thema: Verschiedene Gebrauchsgegenstände, aber auch Kunstobjekte und Karten vermitteln einen Eindruck über das Leben der Brunsbütteler Einwohner.

Brunsbüttel

⛪ Jakobuskirche, 17. Jh.

● Schleusenanlagen, Gustav-Meyer-Platz, ✆ 885213, ÖZ: Mo-Fr 10.30-17.00 Uhr (März-Oktober)

🏊 Freibad am Ulitzhörn, ÖZ: Mai-Okt. tägl. 9-19 Uhr.

🏊 Freizeithallenbad, Am Freizeitbad, ✆ 6474.

🚲 Fahrradverleih Köster, Koogstr. 93, ✆ 92280

Brunsbüttel liegt an der Mündung, des, nun schon über hundert Jahre alten Nord-Ostsee-Kanals in die Elbe. Der Kanal wird jährlich von tausenden Schiffen befahren und ist damit die meistgenutzte künstliche Wasserstraße der Welt. Dieser Umstand und der Bau mehrerer

Häfen brachte Brunsbüttel den wirtschaftlichen Aufschwung. Nach und nach siedelten sich namhafte Unternehmen an, die Zulieferfirmen und Dienstleitungsunternehmen mit sich brachten. Heute ist Brunsbüttel ein wichtiger Industriestandort, in dem aber auch kulturelle, sportliche und geschichtliche Belange ihren Platz finden. Mit 14.000 Einwohnern ist Brunsbüttel die zweitgrößte Stadt des Kreise Dithmarschen.

Schräg links weiter auf dem Weg namens **Auf dem Deiche** ∼ an der Querstraße links ∼ außen am Deich dann weiter.

HISTOUR

Dieses neue „Touristische Leitsystem zu Natur- und Kulturdenkmalen im Kreis Dithmarschen" bringt dem Besucher die Region Dithmarschen in unterschiedlichen Themenkreisen nahe. In der Landschaft und in Ortsbereichen werden interessante Punkte mit Themen zu Geologie, Kultur- und Museumslandschaft durch Hinweisschilder mit kurzen prägnanten Erläuterungen markiert.

Von Brunsbüttel nach Husum

Sie tauchen nun immer tiefer in die Küstenlandschaft Dithmarschen ein. Hinter Brunsbüttel entschwindet die Elbe endgültig in die Nordsee, Sie treffen auf der Hauptroute erst beim Meldorfer Hafen auf die Küste. Über das Eidersperrwerk gelangen Sie in das Nordseebad Büsum. Der nächste Höhepunkt der Tour ist dann die Halbinsel Eiderstedt mit dem bekannten Badeort St. Peter Ording und viel Strand, Leuchttürmen und guter Nordseeluft. Endstation dieser zweiten Etappe ist das sehenswerte Städtchen Husum.

Die Hauptroute erweist sich von der Streckenführung abwechslungsreich: ruhige Landstraßen, asphaltierte Radwege und rund um St. Michaelisdonn erwarten Sie sogar ein paar Steigungen und wenn Sie Lust haben ein unbefestigter Mountainbike-Pfad. Der Ausflug in Küstennähe hingegen weist keine Überraschungen auf, sondern ausschließlich ruhige Landstraßen und Deichwege.

Tipp: Bei der nächsten Deichüberfahrt steht Ihnen die Entscheidung frei, ob Sie auf der Hauptroute des Nordseeküsten-Radweges weiterfahren, oder eine Variante wählen. Die Variante verläuft mehr in Küstennähe durch weitläufige Polderlandschaften und über schnurgerade Straßen. Etwas interessanter vom Landschaftsbild, aber dafür weiter von der Küste entfernt verläuft die Hautproute des Nordseeküsten-Radweges über St. Michaelisdonn und Meldorf. Auf Höhe des Meldorfer Hafens treffen die beiden Streckenführungen an der Küste wieder aufeinander.

Variante über Friedrichskoog   *42,5 km*

Unser Tip: Auf der Variante verlassen Sie Brunsbüttel entweder auf dem äußeren Deichweg, Sie können aber auch über den Deich fahren und dann unten beim Restaurant geradeaus weiterfahren. Außen am Deich zu fahren bedeutet vollkommene Autofreiheit, dafür müssen Sie aber immer wieder die Gatter durchqueren.

Sie fahren an der Anlegestelle der **Fähre Brunsbüttel-Cuxhaven** vorbei ⌢ wenn die kleine Straße binnendeichs bei den Häusern einen Rechtsbogen beschreibt, gelangen Sie zu einer Vorfahrtsstraße und biegen links ein in **Neufeld** an der nächsten Vorfahrtsstraße links ⌢ rechts in den **Westerdieker Strot** Richtung Marne und nach dem Deich gleich links.

Neufeld

Geradeaus über die Querstraße ⌢ durch den Deich hindurch und danach gleich nach links ⌢ wieder einmal am Deich entlang ⌢ Sie folgen dann dem Straßenverlauf mitten durch den **Neufelder Koog** ⌢ geradeaus auf die Kreisstraße ⌢ der Straße folgend kommen Sie in den nächsten Koog, den **Kaiser-Wilhelm-Koog** ⌢ an der **Süderstraße** links zum Deich.

Tipp: Wenn Sie zum Infozentrum des Windparkes möchten oder einen Abstecher nach Marne, dann fahren Sie weiter geradeaus auf dem **Sommerdeich**. Links liegt dann gleich das Infozentrum des Windparkes (☎ 04331/18-2465). Beim Kreisverkehr fahren Sie rechts nach Marne.

Marne

PLZ: 25709; Vorwahl: 04851

🛈 **Stadtverwaltung** Marne, ☎ 2001

🏛 **Heimatmuseum** Marner Skatclub, Museumstr. 2, ☎ 3518, ÖZ: Di-Fr 15-17 Uhr und So 10-12 Uhr. Thema: Gegenstände der alten Marner Zünfte, bürgerliches und bäuerliches Mobiliar, sowie vorgeschichtliche Funde.

⛲ **Müllenhoff-Brunnen**, Kreuzung Bahnhof-/Süderstr. Denkmal für den Germanisten Karl-Viktor Müllenhoff, der u.a. eine Sammlung der Sagen und Märchen Schleswig-Holsteins veröffentlicht hat.

⛲ **Rathaus Marne**, Jugendstilbau von 1914

Am Deich fahren Sie dann zuerst binnendeichs bis zur Einmündung der Schulstraße, die in den Diecksanderkoog führt ~ Sie halten sich links und durch ein Gatter gelangen Sie über den Deich, unten dann rechts außendeichs nach Friedrichs-

Friedrichskoog

koog ~ bei der dritten Überfahrt über den Deich fahren Sie wieder auf die Deichinnenseite ~ auf einer kleinen Straße steuern Sie dann Friedrichskoog an ~ Sie folgen dem **Seeschwalbenweg** ~ an der Vorfahrtsstraße dann links.

Friedrichskoog

PLZ: 25718; Vorwahl: 04854

- ☒ **Seehundstation**, An der Seeschleuse 4, ☏ 1372, ÖZ: März-Oktober tägl. 9-18 Uhr, November-Februar tägl. 10-17.30 Uhr. Thema: Ausstellung über das Leben und die Gefährdung der Seehunde und Heuler (junge, von der Mutter getrennte Seehunde).

- ☒ **Nationalpark-Infozentrum**, Koogstr., ☏ 1005. Die Ausstellung informiert über den Lebensraum Wattenmeer und den Nationalpark

- ☒ **Naturkundliches Infozentrum Schutzstation Wattenmeer**, Am Hafen, ☏ 1648.

- ● **Kurmittelhaus Friedrichskoog** mit Sole-Bewegungsbad, Schulstr. West 14, ☏ 90020, ÖZ: Mo-Fr 9-12 Uhr und 14-22 Uhr, Sa u. So 10-22 Uhr.

- ● **Mühle Vergissmeinnicht**, Koogstr. 90, ☏ 1506. Stammt ursprünglich aus dem 19. Jh., 1994 restauriert, heute beherbergt Sie das Standesamt und eine gemütliche Weinstube.

- ● **Trischendamm**, ein selbst bei Flut zu begehender 2,4 Kilometer langer Steindamm, von dem aus das Wattenmeer ideal zu beobachten ist.

Sie folgen nun dem straßenbegleitenden Radweg der **L 177** ~ an der **Koogstraße** links ~ vorbei an der **Mühle Vergissmichnicht** mit Café und Galerie ~ dann rechts in den **Andreßenweg** (1 Kilometer auf der Koogstraße) ~ dann rechts in den **Norderdeich** ~ an

der Vorfahrtsstraße links ~ Sie befinden sich nun im **Kaiserin-Auguste-Viktoria-Koog** ~ in der Rechtskurve geradeaus weiter am Deich entlang.

Tipp: Achtung! Das Befahren außendeichs im Bereich des Speicherkooges Süd von Friedrichskoog in Richtung Meldorfer Hafen und Büsum ist während des Waffenerprobungsbetriebes der Bundeswehr in diesem Bereich untersagt und wird durch hochgezogene rot-weiße Bälle auf der Deichkrone gekennzeichnet (nur an wenigen Tagen im Jahr). Dann ist dieser Bereich östlich zu umfahren.

Die nächsten gut 10 Kilometer verweilen Sie nun auf diesem Weg, bis Sie beim **Meldorfer Hafen** wieder auf die Hauptroute treffen.

Von Brunsbüttel nach St. Michaelisdonn   22,5 km

Auf der Hauptroute überqueren Sie den Deich ~ geradeaus auf die Straße und auf Höhe des Restaurants rechts in die Straße **Deichstraße** ~ an der Kreuzung links in die

7

9

Kronprinzenkoog

Speicherkoog Dithmarschen

Osdeichung des Speicherkoogs bei Sperrung

Kaiserin - Auguste - Viktoria - Koog

Kronprinzenkoog

Triangel

Sophienkoog

Marner-deich

Westerfleth

Schmoleck

Dieksanderkoog

Friedrichskoog

Kaiser-Wilhelms-Koog

Westlicher Strom

Neulandhalle

Dieksand

Edendorf

Steerloch

Loch

Mühle

Rugenort

Seehundstation

National-park

Schleswig-Holsteinisches

Wattenmeer

Sommerkoog - Steerloch

Schleswig-Holsteinisches

Wattenmeer

Helmsandsteert

Helmsand

Nationalpark

Franzosensand

Deichstraße ～ an der Straßengabelung links ～ an der Vorfahrtsstraße bzw. dem Marktplatz rechts an der Kirche vorbei zum **Heimatmuseum** ～ an der Hauptstraße (Sackstraße) vor dem Museum rechts ～ dann links die Straße **Am Boßelkamp** ～ an der kleinen Kreuzung Bredenweg/Am Sportplatz biegen Sie in die Sackgasse Am Sportplatz ein und folgen dann gleich wieder rechts einem breiten Plattenweg, der durch eine Neubausiedlung und links am Sportplatz vorbeiführt ～ Sie fahren nun auf dem Kneippweg über die Straßen Am Fleth und Olof-Palme-Allee ～ geradewegs zum Kulturzentrum Elbeforum ～ links an diesem Gebäude über den Von-Humboldt-Platz und weiter auf der Röntgenstraße erreichen Sie die Kreuzung Burnsbütteler-/Koog-/Eddelakerstraße ～ an der Ampel links in die Eddelakerstraße in Richtung Eddelak/St. Michaelisdonn ～ Sei folgen dem

Radweg bis zur zweiten Einmündung rechts, dann in Richtung Freizeithallenbad ～ vor dem Flüsschen Braake nach links ～ an der Braake entlang bis zur Westerbütteler Straße ～ Sie biegen rechts ein und überqueren die Braake ～ vor dem Gasthof links in den **Bauernweg** ～ über die Bundesstraße ～ danach links in den **Behmhusener Weg** ～ an der T-Kreuzung dann rechts ～ nach der Linkskurve in die erste Straße namens **Süderbehmhusen** rechts ～ an der Vorfahrtsstraße rechts ～ Sie erreichen Eddelak ～ an der Vorfahrtsstraße links.

Eddelak

🏛 **St.-Marien-Kirche**. Saalbau mit Tonnengewölbe und Seitenemporen sowie spätbarocker Kanzelaltar von 1740, erste Orgel aus dem 18. Jh.

🏛 **Windmühle „Gott mit uns"**, Besichtigung nach Vereinbarung mit Mühlenbesitzer Haalck, ☎ 04855/8058

Noch vor der Kirche rechts Richtung Kuden

in die **Bahnhofstraße** ～ bis nach Theeberg fahren Sie auf dem straßenbegleitenden Radweg ～ in **Theeberg** über die Querstraße und ohne Radweg auf der mäßig stark befahrenen Straße gerade weiter ～ nach rund 1,5 Kilometern von Theeberg aus gesehen und nach dem Rechtsknick der Straße zweigen Sie in den zweiten Weg links ab ～ unbefestigt und bergauf ～ an der asphaltierten Querstraße links es geht stetig bergab.

Tipp: Ab der nächsten Querstraße bis nach Hopen (3-4 Kilometer) stehen Ihnen zwei Varianten zur Verfügung. Entweder links am Fluggelände vorbei, dieses Wegstück ist nur für Räder mit dickeren Reifen und ohne Gepäck empfehlenswert, da Sie auf schmalen unbefestigten Pfaden rund um das Fluggelände unterwegs sind. Auch bei nassem Wetter sollten Sie diese Strecke eher meiden. Für Natur- und Flugzeugliebhaber und für Mountainbiker aber jedenfalls zu empfehlen. Die andere Strecke führt rechts in einiger Entfernung um das Flugfeld herum und zwar durchgehend auf Asphalt.

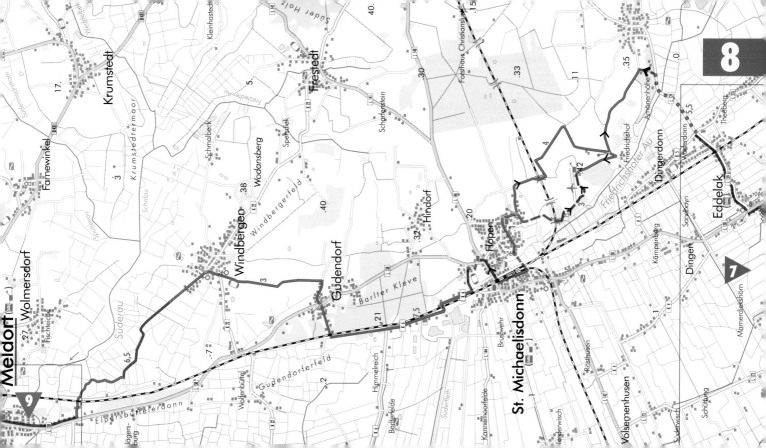

Südlich des Fluggeländes

Sie wenden sich an der Querstraße nach links ~ in die nächste Straße rechts zum Flugplatz ~ leicht bergauf ~ Sie kommen zum **Dithmarschen Luftsportverein** und wenden sich davor nach links ~ an der Gaststätte und am nächsten Haus noch vorbei auf einen schmalen gepflasterten Weg ~ weiter geht es dann auf einem unbefestigten Pfad am Flugplatzgelände entlang und dann durch einen Wald ~ immer leicht bergab und am Bismarkstein vorbei ~ Sie überqueren die Bahnlinie ~ zuerst noch unbefestigt, dann wieder auf Asphalt nach Hopen, einen Ortsteil von St. Michaelisdonn, hinein.

Nördlich des Fluggeländes

An der Querstraße biegen Sie nach rechts ein ~ Sie folgen dann dem Straßenverlauf in einer Linkskurve ~ nach dem nächsten Links-

knick rechts über die Bahnlinie ~ leicht bergab ~ an der Straßengabelung links in die Straße **Hopen** ~ an der ersten Kreuzung im Ort rechts ~ Sie sind nun in Hopen, einem Ortsteil von St. Michaelisdonn.

Hopen

Nach der Gaststätte links in die **Hoper Straße** ~ Sie zweigen dann in der Rechtskurve links in die **Klaus-Groth-Straße** ab ~ an der Straßengabelung rechts halten ~ der Weg wird unbefestigt und führt an einer Mühle vorbei ~ der Weg gabelt sich nochmal, Sie nehmen den linken ~ auf Asphalt dann geradeaus über den Bahnübergang ~ danach rechts in den **Schwarzen Weg** ~ an der Vorfahrtsstraße am Bahnhof rechts.

St. Michaelisdonn

PLZ: 25693; Vorwahl: 04853

🅸 Wirtschaftl. Vereinigung, Allee 34, ☎ 1226

🏛 **Freimaurermuseum** der großen Landesloge der Freimaurer in Deutschland, Meldorfer Str. 2, ☎ 589, ÖZ: nach Vereinbarung mit Logenmeister Heuck-Neelsen. Auf ca. 350 m² gibt es alles über das Brauchtum der Freimaurer zu sehen.

⛪ **St. Michaeliskirche** 17. Jh. mit etwas abseits stehendem Glockenturm

⛪ **Hoper Mühle** „Edda", Poststr. 17, ☎ 1676.

● **Rundflüge** zum Selbstkostenpreis (z.B. über Dithmarschen 35,– DM/Person), Westerstr. 15-19, ☎ 803-0

Kennen Sie schon die ungewöhnliche „Donner Mahlzeit" (Buttermilchsuppe mit Klößen, Pellkartoffeln mit Senfsoße und Mettwurst), die alljährlich zum Eröffnungsball der St. Michael-Woche gekocht wird? Hier nun das Rezept für die Buttermilchsuppe: „1 Liter Buttermilch aufkochen, mit Vanillepuddingpulver andicken, 2 Eier mit 125 g Zucker schaumig rühren und unter die Suppe mischen. Die Klöße dazu bestehen aus 2 Eiern, 40 g Butter, 1/4 l Milch und 400 g Mehl, die in Salzwasser gekocht werden und anschließend in die Buttermilch gegeben werden." Eine ungewöhnliche Kreation, die aber sehr gut schmecken soll. Probieren Sie es doch mal!

Das sagenumwobene St. Michaelisdonn, das bereits in der Steinzeit besiedelt war und reizvoll

zwischen Geest und Marsch liegt, bietet aber noch viel mehr als kulinarische Genüsse. Von den zwei Mühlen über den Bismarckstein bis hin zu den alten Bäumen und Hügelgräbern. Dies alles und noch viel mehr zeigen Ihnen die Landfrauen aus Dithmarschen, die sich als Gästeführerinnen zur Verfügung gestellt haben. Termine unter ✆ 04854/1084 oder 1085.

Von St. Michaelisdonn nach Meldorf   15 km

An der Hauptstraße nach dem Bahnhof rechts einbiegen ～ dann links in die **Meldorfer Straße** nach Meldorf ～ gleich wieder links in die Straße **Westdorf**, anfangs unbefestigt ～ links in die **Zuckerstraße** ～ an der Vorfahrtsstraße **Unterm Kleve** rechts Richtung Barlt ～ die kleine Kreisstraße führt Sie über die Bahn hinüber ～ in der Linkskurve rechts in die Straße **Am Kleve** weiterhin parallel zur Bahn direkt unterhalb des Klevhanges ～ dann rechts über die Gleise über eine Asphaltstraße nach Gudendorf ～ an der Vorfahrtsstraße links und gleich wieder rechts in die **Groß Österstraße**.

Gudendorf

Nach den letzten Höfen von Gudendorf links in einen zweispurigen Betonplattenweg ～ Sie kommen nach Windbergen ～ beim Vorfahrt achten rechts in die **Bahnhofstraße**.

Windbergen

Von der Hauptstraße links ab in die **Ringstraße** zur Kirche ～ beim Supermarkt noch einmal links ～ geradeaus verlassen Sie Windbergen auf der **Westerstraße** ～ die Asphaltstraße führt geradeaus auf einem zweispurigen Betonplattenweg weiter ～ an der Weggabelung links, rechts ist eine Sackgasse ～ in den nächsten Weg dann rechts ab ～ Sie kurven durch die Wiesen und nehmen dann den ersten Weg nach rechts ～ bei der nächsten Weggabelung links ～ vor den Gleisen rechts und kurz darauf links über den Bahnübergang ～ an der Vorfahrtsstraße rechts auf den straßenbegleitenden Radweg ～ im Ort von der Hauptstraße rechts abzweigen und gleich darauf wieder links ～ an einer Mühle vorbei ～ Sie fahren dann über die **Grabenstraße** und geradeaus gegen die Einbahnstraße (Fahrrad frei) ～ immer noch gera-

Meldorf

de in die Fußgängerzone, Sie erreichen so den **Marktplatz**.

Meldorf

PLZ: 25704; Vorwahl: 04832

🛈 **Fremdenverkehrsverein**, Nordermarkt 10, ✆ 7045

⛪ **St. Johannis-Kirche**, "der Meldorfer Dom"

🏛 **Landwirtschaftsmuseum**, Jungfernstieg 4, ✆ 3380, ganzjährig geöffnet. Das Museum informiert über die Landwirtschaftsgeschichte und beherbergt eine Landmaschinensammlung, eine Schmiede und eine Stellmacherei.

🏛 **Dithmarscher Landesmuseum**, Bütjestr. 2-4, ✆ 7252, ganzjährig geöffnet. Thema: Die Geschichte Dithmarschens über zwölfhundert Jahre, alte Arztpraxis, Kinosaal, Krämerladen.

43

- **Dithmarscher Museumswerkstätten**, Papenstr. 2, ☎ 1527, ÖZ: Mo–Fr 9–12 Uhr und 14–18 Uhr, Sa 9–12 Uhr. Handwerkkunst – historisch oder modern – sowie zeitgenössisches Kunsthandwerk.
- **Domgoldschmiede**, Nordermarkt 9, ☎ 1329, ÖZ: Mo–Fr 9–12 Uhr und 14–18 Uhr, Sa 9–13 Uhr. Im ehemaligen Haus des Landschreibers Carsten Niebuhr aus dem 18. Jh. mit acht eisernen Öfen, Herstellung von Schmuckstücken nach alten Vorlagen, Mineraliensammlung im Keller.
- **Meldorfer Kunstweberei**, Österstr. 59, ☎ 3518, ÖZ: Mo–Fr 8–18 Uhr, Sa 9–12 Uhr und 14–17 Uhr (langer Sa). Der kleine, 1909 gegründete Betrieb stellt ein spezielles einmaliges Gewebe her.

▣ **Nationalpark-Infozentrum**, Speicherkoog, ☎ 6264. An den

bekannten Wattbewohner erinnert das markante Gebäude am Meldorfer Hafen, Im Wattwurm erfährt man Wissenswertes über den Nationalpark Wattenmeer.

Der weitläufige Platz rund um den Dom lädt zum Verweilen in dem rund 7500-Einwohner-Städtchen ein. Zwischen Marsch und Geest inmitten des Kreises Dithmarschen gelegen, bezaubern liebevoll gepflegte Giebelhäuser am Marktplatz sowie der historische Stadtkern.

Von Meldorf nach Büsum   *19 km*

Sie umrunden den Dom auf dem **Marktplatz** auf seiner linken Seite ▸ rechts in die **Norderstraße** ▸ dann links in die **Zollstraße** ▸ an der Hauptstraße rechts und dann gleich wieder links in die **Hafenchaussee** ▸ nach rund 2 Kilometern zweigen Sie links Richtung **Hotel Dithmarscher Bucht** und Papierfabrik ab ▸ vor dem Hotel links in den Ortsteil **Meldorfer Hafen** ▸ an der nächsten Gabelung links halten ▸ Sie folgen dem Straßenverlauf der **Schleusenstraße** ▸ an der Vorfahrtsstraße rechts zum Meldorfer Hafen ▸ vorne

beim Hafen fahren Sie rechts auf den Parkplatz und vor zum Deich

Meldorfer Hafen

Bei der Sielanlage folgen Sie dem Straßenverlauf in einem Rechtsbogen.

Tipp: Nach dem Surfplatzgelände können Sie entweder wieder über den Deich auf die Außenseite fahren oder aber innen am Deich nach Büsum radeln. Wenn Sie jedoch außendeichs fahren, dann sollten Sie auf der Höhe von Warwerort wieder über den Deich zurückfahren, es ist die zweite Überfahrt nach dem Surfgelände. Der Grund ist der kurtaxenpflichtige Bade-

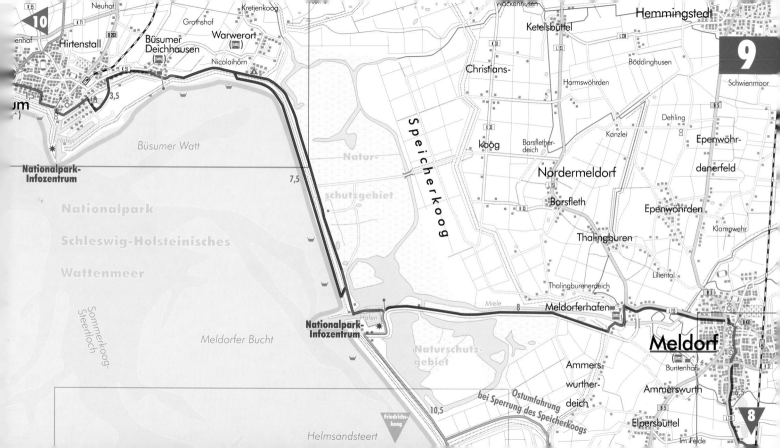

strand der Gemeinde Büsumer Deichhausen.

Sie fahren also immer am Deich entlang an
Warwerort und dem Campingplatz Seeschwalbe vorbei nach **Büsumer Deichhausen**
— auf der Straße **Achterndiek** durch die
Wohnsiedlung — an der Vorfahrtsstraße links
auf den Radweg — an der Stoppstraße links in
die Straße **Hafentörn** am Forschungs- und
Technologiezentrum Westküste vorbei — danach rechts in die **Dr.-Martin-Bahr-Straße** —

dann links am **Fischerkai** weiter.

Büsum

PLZ: 25761; Vorwahl: 04834

🛈 **Tourist-Information** im Kurgastzentrum, Südstrand 11,
📞 909-114

🛈 **Zentrale Zimmervermittlung** im Kurgastzentrum, 📞 909110

🚢 **Büsum-Helgoland** (Mai-Oktober), Reederei Cassen Eils,
📞 9010

🚢 **Büsum-Helgoland**, zu den Seehundbänken, zu Krabben-
u. Seetierfangfahrten und Nationalpark Wattenmeer, Reederei H.G. Rahder, 📞 3612

🏛 **Nationalpark-Infozentrum**, 📞 6375. Die Ausstellung veran-
schaulicht alles über das Thema Wattenmeer.

⛪ **St. Clemens-Kirche**, 15. Jh.

⛪ **Büsumer Leuchtturm**. Das Wahrzeichen des Nordseeheilba-
des stammt aus dem Jahr 1913, seine Höhe beträgt fast 22
Meter.

▣ **Naturkundliches Infozentrum Schutzstation Wattenmeer**,
Hafenstr. 25, 📞 8730

● **Nordseering Büsum**, Outdoor-Kartbahn, Segeltörn 1,
📞 95550, ÖZ: Mo-Fr 13-22 Uhr, Sa-So 11-22 Uhr.

⌣ **Kurmittelhaus** mit Meerwasser-Wellenbad, Planschbecken,
Kinderbetreuung, versch. Sportarten, kulturellen Veranstal-
tungsprogramm, 📞 6530.

Büsum gehört zu den Pionierorten des Frem-
denverkehrs.
Schon 1818 gab
es die ersten
sommerlichen
Badegäste in Ba-
dekarren. Im
Jahre 1837 wur-
de Büsum Nord-
seebad, ab
1883 dann auch
mit der Eisen-
bahn zu errei-
chen. Das Reiz-
klima, die See-
luft und das
Meer machen

Büsum

Büsum zum idealen Kurort bei Krankheiten, wie
die der Atmungsorgane, Hauterkrankungen,
Neurodermitis, Frauenleiden, Krankheiten im
Kindesalter, Herzleiden und einige andere
mehr. Verschiedenste Veranstaltungen lassen
auch bei Regen keine Langeweile aufkommen.
Und wenn es doch mal fad werden sollte, pro-
bieren Sie doch mal eine „Tote Tante!"

kurz vor dem Sperrwerk wieder zur Hauptroute zurück. Die Hauptroute hingegen verläuft stets in Küstennähe.

Variante über Wesselburen   24 km

Sie verlassen Büsum auf der **Allestraße** und wenden sich dann rechts in den **Südstrand** an der Kurverwaltung vorbei ～ danach rechts in die **Hohenzollernstraße** ～ an der **Westerstraße/Nordseestraße** links ～ vor dem Deich folgen Sie dem Rechtsbogen der Straße ～ Sie wenden sich nach rechts in den **Schweinedeich** ～ immer geradeaus über die **Friedrich-Paulsen-Straße** ～ mit einem Linksbogen zu einem Kreisverkehr ～ geradeaus nach Westerdeichstrich ～ an der Hauptstraße im Ort nach rechts.

Westerdeichstrich

Auf der Hauptstraße im mäßig starken Verkehr durch die Ortschaft ～ gegen Ortsende links in die **Lundchaussee** Richtung Hedwigenkoog ～ die kleine asphaltierte Straße führt an einigen Höfen vorbei ～ an der **Koogchaussee** rechts ～ nach 1,5 Kilometern direkt vor dem Deich links in eine kleine Straße ～ mit einem Rechtsbogen durch **Hellschen** ～ an der Straßengabelung nach dem Ort halten Sie sich links ～ Sie folgen dann immer dem Straßenverlauf der asphaltierten Straße ～ Sie kommen nach Süderdeich und

Tipp: Zwischen Büsum und Eidersperrwerk gibt es zwei Routenvarianten. Entweder Sie fahren durch das Landesinnere in das Hebbelstädtchen Wesselburen und kommen

überqueren hier die Hauptverkehrsstraße.

Süderdeich

Geradeaus in die **Bahnhofstraße** ~ links in die **Querstraße** ~ dann rechts über die Gleise und gleich danach wieder links ~ am **Schwarzen Weg**, einer Vorfahrtsstraße links nach Wesselburen ~ Sie kommen zum Hebbelhaus und fahren davor schräg links weg hoch bis zur Kirche, hier können Sie Ihr Fahrrad parken und neben der Apotheke auf der Oesterstraße zum Hebbelmuseum spazieren.

Wesselburen

PLZ: 25764; Vorwahl: 04833

🛈 **Fremdenverkehrsverein** Wesselburen und Umland, Süderstr. 49, ✆ 4101

🏛 **Hebbel-Museum**, Österstr. 6, ✆ 4190, ÖZ: Mai-Oktober Di-Fr 10-12 u. 14-17 Uhr, Sa + So 10-12 u. 15-17 Uhr, November-April Di + Do 14-17 Uhr. Thema: Das Gebäude war der Arbeitsplatz Friedrichs Hebbels, heute beherbergt es eine wissenschaftliche Bibliothek und das Andenken Hebbels.

Wesselburen

🛕 **St. Bartholomäuskirche**, 1738.

● **Land & Leute Erlebnispark**, Oesterwurth-Wesselburen, ✆ 2929, ÖZ: April-Oktober tägl. 9-18 Uhr. Über 30 Tierarten, viele Spielgeräte findet, Informationshäuser, verschiedene Ausstellungen und ein Restaurant.

Die kleine Stadt Wesselburen mit rund 3500 Einwohnern, in der 1813 der Dramatiker Friedrich Hebbel geboren wurde, feierte vor kurzem den 100sten Geburtstag der Verleihung ihrer Stadtrechte.

Von der Kirche fahren Sie die **Westerstraße** hinunter ~ die Hauptstraße queren Sie und biegen halb links in die Klingbergstraße ein ~ an der nächsten Kreuzung fahren Sie geradeaus auf den zweispurigen Betonplattenweg ~ in dem Dorf **Norddeich** an der Querstraße nach links versetzt geradeaus weiter in den **Katersteig** ~ an der Vorfahrtsstraße rechts ~ an der ersten Abzweigung nach der Ortschaft links halten Richtung Hillgroven.

Eidersperrwerk

Zwischen den Häusern an der Straßengabelung rechts halten ~ danach weiterhin rechts auf der **Dorfstraße** ~ Sie folgen dem Straßenverlauf durch den Deich Seehofweg in den **Wesselburener Koog** ~ an der Vorfahrtsstraße links ~ an einigen Höfen vorbei und danach links ab auf der **Dammstraße** zum Badestrand ~ Sie sind nun am Deich wieder auf der Hauptroute.

Von Büsum nach St. Peter Ording   38 km

Sie verlassen Büsum auf der **Allestraße** und wenden sich dann rechts in den **Südstrand** ~ danach rechts in die **Hohenzollernstraße** ~ an der **Westerstraße/Nordseestraße** links ~ vor

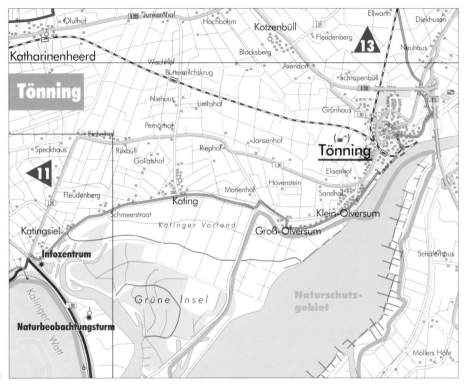

Katharinenheerd

Tönning

11

dem Deich folgen Sie dem Rechtsbogen der Straße — Sie bleiben nun immer auf der Straße innen am Deich — am Campingplatz von **Neuenkoog** vorbei und danach links im spitzen Winkel hinauf zum Parkplatz — mit einem Rechtsbogen am Parkplatz vorbei und weiter rechts am Deich entlang — Sie fahren nun durch den **Sommerkoog** — bei Westerkoog über den Parkplatz mit Spielplatz und Toiletten.

Westerkoog

Die Straße macht dann einen Rechtsbogen, geradeaus führt eine Straße in den Ort und zum Gasthaus — für die Weiterfahrt links wieder durchs Gatter, auf den Deich hinauf und dann weiter rechts des Deiches Richtung Eidermündung — kurz vor dem Eidersperrwerk beim Campingplatz stößt die Alternativroute wieder auf die Hauptroute — Sie bleiben hier weiter unten am Deich bis der Asphalt endet — dann auf dem kurzen Stück Pfad zum Radweg entlang der Hauptstraße.

Eidersperrwerk

Die Radfahrer werden dann vor dem Sperrwerk hinaufgeleitet und überqueren die Eider-

Tönning

mündung oberhalb der Straße ~ danach wieder auf den straßenbegleitenden Radweg.

Tipp: Zur Rechten sehen Sie dann einen Naturbeobachtungsturm.

Tipp: Ein Stück nach dem Sperrwerk, wenn die Hauptroute links in die Straße Süderdeich abzweigt, können Sie einen Abstecher nach Tönning unternehmen bzw. auch abkürzend über Tönning nach Husum fahren, das hübsche Hafenstädtchen an der Eider lohnt einen Besuch.

Nach Tönning

Sie biegen von der Hauptstraße nach rechts ab und gleich darauf wieder nach rechts zum **Naturzentrum Katinger Watt** ~ über **Kating**

und **Olversum** kommen Sie nach Tönning.

Tönning

PLZ: 25832; Vorwahl: 04861

🛈 Tourist-Information, Am Markt 1, 📞 61420

🚢 Tönning-Helgoland, ab Eidersperrwerk, 📞 04681/80-0, Wyker Dampfschiffs-Reederei, April-Oktober Do, Fr u. Sa

🚢 zu den Seehundbänken, ab Eidersperrwerk, 📞 5664, Reederei Jürgen Ziegert, März-November täglich

🚢 Krabben- und Seetierfangfahrten, ab Tönning, 📞 5664, März-Oktober

🏛 Multimar Wattforum, Am Robbenberg, 📞 9620-0, ÖZ: Sept.-Mai, tägl. 10-16 Uhr und Juni-Aug., tägl. 9-19 Uhr. Die Besucher können sich mit Hilfe von Tidebecken, Experimentierbecken und einigen Großaquarien als Wissenschaftler betätigen. Ver-

schiedenste Möglichkeiten zu Information und Unterhaltung: ob interaktiv oder mit Mikroskop, ob mit Spielen oder Filmen. Hier wird Ihnen die Schönheit des Nationalpark Wattenmeers, aber auch seine Gefährdung näher gebracht.

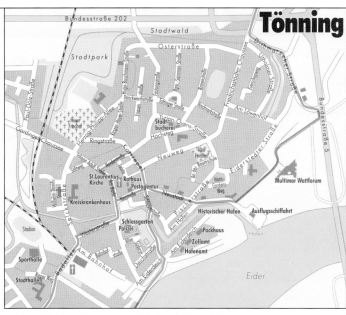

St. Peter Ording – Strand

🏛 **St. Laurentius-Kirche**, erstmals erwähnt 1186

🏞 **Naturzentrum Katinger Watt**, Lina-Hähnle-Haus des NABU (Naturschutzbund Deutschland e.V.), Katingsiel 14, ☎ 04862/8004, Fax 17393, ÖZ: April-Oktober tägl. 10-18 Uhr, verschiedenste Führungen ins Watt werden angeboten. Der Preis von 5,00 DM für Erwachsene (Kinder 3,00 DM) kommen der Naturschutzarbeit vor Ort zugute.

● **Eidersperrwerk**, dieses gigantische Bauwerk schützt das Land einerseits vor den Sturmfluten der Nordsee, andererseits hilft es, die Eider zu entlasten, wenn sie nach heftigen Regenfällen über die Ufer zu treten droht.

🏞 **Fahrradverleih** Pedalo, Badallee 2a, ☎ 5019

🏞 **Fahrradverleih** Esso-Tankstelle, Gardinger Chaussee, ☎ 346

Sie kehren auf derselben Strecke wieder zur Hauptroute zurück.

Auf der Hauptroute verlassen Sie die Hauptstraße nach links in die Straße **Süderdeich** ~ am Deich können Sie entweder binnendeichs bis zum Campingplatz fahren oder sich gleich auf die Außenseite begeben ~ immer außen am Deich passieren Sie die Badestelle Vollerwiek und **Ehstensiel** und steuern auf St. Peter Ording zu ~ der Weg außendeichs endet am Golfplatz, ein holpriger Weg führt auf den Deich ~ am ersten Badeplatz von St. Peter Ording im Ortsteil Böhe herrscht im Sommer reger Trubel.

Tipp: Sie können von hier aus entweder am Deich bzw. am Strand weiterfahren, oder auf Radwegen mitten ins Zentrum von St. Peter Ording.

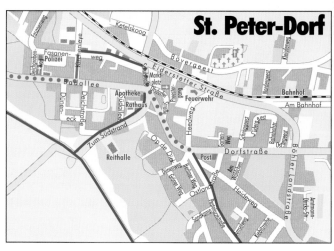

Durchs Zentrum von St. Peter Ording

Dafür fahren Sie rechts und an der **Böhler Landstraße** links auf dem Radweg weiter ~ es zweigt die Pestalozzistraße ab, die Radwegweiser weisen Sie hier nach links ~ an der **Dorfstraße** links ~ die Straße gabelt sich, Sie halten sich links weiterhin auf der Dorfstraße, Sie befinden sich hier im Ortsteil **St. Peter Dorf**.

St. Peter-Bad

St. Peter-Ording

PLZ: 25826; Vorwahl: 04863

- 🅸 **Kurverwaltung**, 📞 999-0, Zimmervermittlung 📞 999-155
- 🏛 **Kirche St. Peter**, 12. Jh.
- 🏛 **Kirche St. Nikolai**, 18. Jh.
- 🛁 **Dünen-Therme**, 📞 999-161, Erlebnisbad mit Sauna
- 🎲 **Naturkundliches Infozentrum Schutzstation Wattenmeer**, Dorfstr. 40, 📞 5303
- 🎲 **Westküstenpark**, Wohldweg 2, 📞 3044, Haus- und Wildtierpark

54

- ● **Pfahlbauten** an den Stränden mit Restaurants und Strandkorbvermietung
- 🚲 **Fahrradverleih** Carstens, Im Bad 12, 📞 2298
- 🚲 **Fahrradverleih** Flor, Strandweg 16, 📞 1826
- 🚲 **Fahrraddienst** Malorny, Badallee 31, 📞 2560
- 🚲 **Otto's Fahrradlädchen**, Dorfstr. 26, 📞 3654
- 🚲 **Fahrradverleih** Sönkens, Am Deich 35, 📞 2531
- 🚲 **Fahrradverleih** Thomsen, Böhler Landstr. 166, 📞 5220
- 🚲 **Fahrradverleih** Velo-Taxi, Bövergeest 105, 📞 5700
- 🚲 **Fahrradverleih** Lex, Stephanweg 3, 📞 1580

Die Halbinsel Eiderstedt ist schon seit alten Zeiten für ihre kulinarischen Genüsse bekannt. Hier gibt es alles, was das Herz oder besser gesagt den Gaumen erfreut. Selbst Touristen kommen von weit her, um in den Genuss dieser Köstlichkeiten zu gelangen. Gemüse, Obst, Getreide, Fleisch, Wurst und natürlich Fisch schenken das Land und die See den Menschen. Zubereitete Speisen wie "Mehlbeutel", "Saure Rolle", "Birnen, Bohnen und Speck", "Eidersteder Suppe" und Getränke mit unge-

St. Peter Ording – Strand

wöhnlichen Namen wie "Pharisäer" und "Tote Tante" sind auf den Speisekarten zu finden. Schlemmern können Sie diese und noch viele andere Gaumenfreuden natürlich auch in **St. Peter-Ording**, das seit ca. 50 Jahren als Nordseeheil- und Schwefelbad anerkannt ist. Das ganze Jahr über können Sie hier kuren, wobei die Winterkuren ganz besonders erfolgreich sind.

Sie folgen dann den Schildern rechts nach Ording ～ links in den **Fasanenweg** ～ links in die **Deichgrafenstraße** und wieder rechts in die Straße **Im Bad** ～ bei den Kliniken dürfen

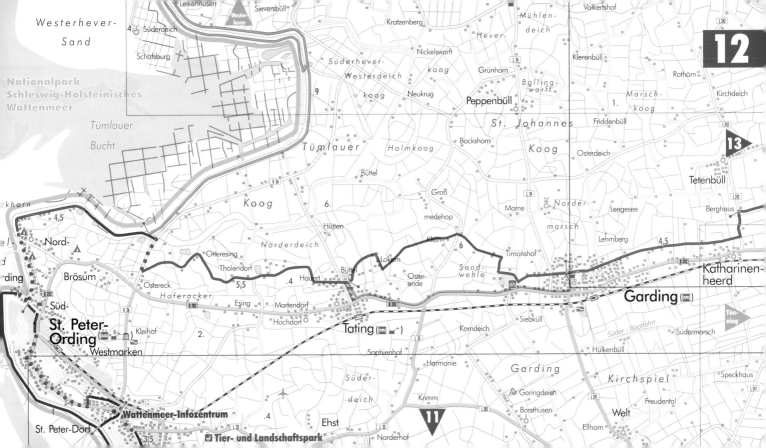

Sie mit dem Rad geradeaus weiterfahren, dies ist nun der Ortsteil **St. Peter Bad** — Sie folgen dem Straßenverlauf der Straße Im Bad und wenden sich an der Vorfahrtsstraße **Dreilanden** auf den Radweg nach links — dann am **Strandweg** wieder links zum Deich zurück — nun folgen Sie rechts den Wegweisern nach Ording.

Am Strand von St. Peter Ording

Wenn Sie nicht durch das Zentrum, sondern in Strandnähe entlang fahren, dann halten Sie sich immer an den Deichverlauf und den dazugehörigen Radweg.

Tipp: Achten Sie bitte auf die anderen Strandbesucher wie Fußgänger und In-line-Skater. Ins Zentrum von St. Peter Ording können Sie nach rechts immer wieder einen Abstecher machen.

Sie lassen dann die Ortschaft hinter sich und beim nächsten Badeplatz mit den schon bekannten Pfahlbauten linker Hand, da zweigt die Route nach rechts ab — nach dem kleinen Damm weisen die Schilder Sie nach links im spitzen Winkel auf der Straße **Am Deich** nach Ording.

Ording

Von St. Peter Ording nach Garding　　**15 km**

In der Rechtskurve der Hauptstraße fahren Sie geradeaus weiter — bei dem kleinen See macht die Straße eine Rechtskurve, Sie fahren geradeaus durch das Gatter weiter am Deich

Westerhever Leuchtturm

entlang — wenn es am Deich gerade nicht weitergeht wenden Sie sich nach rechts.

Tipp: Die Hauptroute verlässt hier den Deich und führt durch das Landesinnere der Halbinsel Eiderstedt über Tating und Garding und trifft eigentlich erst nach Husum wieder auf den Deich. Eine Variante, die jedoch nicht als Nordseeküsten-Radweg ausgeschildert ist, gibt es für diejenigen, die den Deich nicht verlassen wollen und zudem das bekannte „Leuchtturm-Fotomodell Westerhever" im Nationalpark Wattenmeer besuchen möchten.

Deichweg über Westerheversand nach Uelvesbüll　　**28,5 km**

Noch vor der Hauptstraße wenden Sie sich wieder nach links durchs Gatter am Deich entlang — am Ende des Tümlauer Kooges

können Sie auch wieder beiderseits des Deiches weiterfahren — hinter **Westerhever** fahren Sie am Besten innen am Deich weiter, die Halbinsel nennt sich hier Utholm — Sie durchqueren den **Norderheverkoog** — wenn geradeaus am Deich kein Weg mehr existiert, dann folgen Sie dem Straßenverlauf rechts — an der Vorfahrtsstraße links — bei der nächsten Abzweigung erneut links — beim **Everschopsiel** links über den Deich zum Hafen hinüber — es geht nun für rund 2,5 Kilometer außen am Deich entlang, dann müssen Sie wieder auf die Landesstraße zurück — in Uelvesbüll zweigen

Sie dann links in den **Uelvesbüllerkoog** ab

und befinden sich damit wieder auf der Hauptroute, lesen Sie auf Seite 60 weiter.

Auf der Hauptroute fahren Sie nun nicht mehr am Deich entlang in den Tümlauerkoog, sondern an der Hauptstraße rechts — nach rund 800 Metern im spitzen Winkel links in den **Koogsweg** — Sie folgen nun dem Straßenverlauf der kleinen asphaltierten Straße — wenn die Straße rechtsherum abbiegt, dann fahren Sie geradeaus weiter Richtung Ferienhof Hennings — Sie kommen nach Tating.

Tating

Tipp: Wer mit einem Fahrradanhänger unterwegs ist, der sollte an der Querstraße rechts auf den Radweg fahren und dann an der Bundesstraße links wieder auf den Radweg, da auf der Hauptroute ein zweispuriger Betonplattenweg zu befahren ist, der für Anhänger weniger bequem ist.

An der Querstraße auf der Hauptroute jedoch geradeaus in den **Büttelweg** Richtung Modellflugplatz — an der Straßengabelung rechts — auf dem zweispurigen Betonplattenweg links halten bis Medehop — dort die Straße überqueren und auf dem Plattenweg weiter nach Garding.

Garding
PLZ: 25836; Vorwahl: 04862
ℹ Kurverwaltung, Am Markt 26, ✆ 469
⛪ St. Christians-Kirche

Von Garding nach Husum   *31 km*

Auf der **Norderstraße** kommen Sie nach Garding, zur Rechten liegt die Ortsmitte — am **Norderring** rechts — in der Rechtskurve links in den **Nordergeestweg** — immer gerade auf dieser kleinen geruhsamen Straße verlassen Sie Garding — an der Querstraße links — nach rund 600 Metern zweigen Sie rechts in den **Bootsführerdeich** ab — Sie fahren dann immer

geradeaus an dem kleinen Kanal entlang durch die Häuser von **Kleihörn** geradeaus auf Vorfahrtsstraße hinauf im Linksbogen der Hauptstraße rechts in den **Westeroffenbüll-deich** an der nächsten größeren Querstraße rechts und gleich wieder links in den **Osteroffenbüll-deich** an der Straße **Barneckemoor** links in Uelvesbüll links in den **Kirchspielweg** nach 350 Metern gleich wieder rechts Richtung Uelvesbüllerkoog, an dieser Stelle trifft die Deichvariante wieder auf die Hauptroute.

Uelvesbüll

An der kleinen Kirche vorbei an der nächsten Kreuzung, geradeaus ist eine Sack-

gasse, wenden Sie sich nach rechts Sie folgen nun immer dem Straßenverlauf an **Porren-deich** entlang an der Vor-fahrtsstraße links auf den Rad-weg zur Linken liegt ein Mu-seum, Hotel und Restaurant.

Witzwort

🏛 **Museum Roter Hauberg**, Adolfskoog, ✆ 04864/845, ÖZ: Di-So 10-23 Uhr. Thema: Dieses ist eines der schönsten Bau-ernhäuser der Halbinsel Eiderstedt, es be-herbergt ein landwirtschaftliches Museum.

Sie kommen nach Simons-berg.

Simonsberg

▨ **Vogelschutzgebiet** Westerspäthinge

Dreimal schon wurde dieser kleine Ort von den Fluten zerstört. Aber die Bewohner haben nie aufgegeben und ihn im Landesinneren im-mer wieder aufgebaut. Hier kann man in Ruhe die herrliche Landschaft, durchzogen von Weh-len (durch Deichbruch entstandene Wasserflä-chen), genießen.

Kurz vor Ortsbeginn endet der Radweg und Sie fahren nach rechts in die Wohnsied-lung am Spielplatz vorbei und danach rechts noch be-vor Sie dann zur Hauptstraße hinauffahren zweigen Sie rechts ab und unterhalb der Straße an den Häusern entlang nach ungefähr 1,2 Kilometer führt der Weg zur Landesstraße hinauf Sie folgen geradeaus dem Radweg der Radweg wechselt dann auf die linke Sei-te der **L 244** dieser Radweg trägt Sie dann bis nach Husum hinein Sie kommen auf der **Simonsberger Straße** nach Husum an der großen ampel-geregelten Kreuzung links durch die Bahn-unterführung und gleich danach links in den Damm geradeaus führt der Zingel zum Binnenhafen, Sie folgen derzeit nach rechts dem Straßenverlauf der Straße **Am Binnen-hafen.**

Husum

PLZ: 25813; Vorwahl: 04841

ℹ **Tourist-Information**, Großstr. 27, ☎ 8987-0

⚓ **Husum-Helgoland**, Wyker Dampfschiffs-Reederei, ☎ 04681/80-0, Juli und August

🏛 **Freilichtmuseum Ostenfelder Bauernhaus**, Nordhusumer Str. 13, ☎ 4334, ÖZ: April-Oktober Di-So 10-12 und 14-17 Uhr. Thema: Typisches Bauernhaus (ca. 1600) mit wertvoller Einrichtung.

🏛 **Nordfriesisches Museum Nissen-Haus**, Herzog-Adolf-Str. 25, ☎ 2545, ÖZ: April-Oktober tägl. 10-17 Uhr, November-März So-Fr 10-16 Uhr außer Sa u. Mo. Thema: Das Museum beinhaltet alles über das Leben und die Kultur der Küstenlandschaft und deren Bewohner: verschiedene Sammlungen, Alltagskultur, Modelle der typischen Häuser, mittelalterlichen Deich in Originalgröße, Handwerk, Volkskunst etc..

🏛 **Poppenspäler-Museum**, Stadtpassage Schiffbrücke/Großstr. 16, ☎ 63242, ÖZ: Mo, Di u. Do. 14-17 Uhr.

🏛 **Schifffahrtsmuseum**, Zingel 15 (am Hafen), ☎ 5257, ÖZ: ganzjährig tägl. 10-17 Uhr. Thema: Nordfriesische Schifffahrtsgeschichte aus Vergangenheit bis zur Gegenwart.

🏛 **Schloss vor Husum**, ☎ 8973-130, ÖZ: April-Oktober Di-So 11-17 Uhr. Erbaut im 16. Jahrhundert, bietet es heute ein tolles Ambiente für kulturelle Veranstaltungen und Ausstel-

Im Schlosspark von Husum

lungen. Zu besichtigen sind heute die wunderschönen Sand- und Alabasterkamine, Gemälde aus mehreren Jahrhunderten sowie die Schlosskapelle.

🏛 **Tabak- und Kindermuseum**, Wasserreihe 52, ☎ 61276, ÖZ: tägl. 10-18 Uhr.

🏛 **Theodor Storm-Haus**, Wasserreihe 31, ☎ 666270, ÖZ: April-Oktober Di-Fr 10-12 u. 14-17 Uhr, Mo, Sa u. So 14-17 Uhr. Thema: In diesem Haus hat Theodor Storm viele Jahre gelebt und gearbeitet. Es ist seinem Werk und Andenken gewidmet. Das Haus ist noch heute im Originalzustand.

🕮 **Wattwanderungen**, Naturschutzbund Deutschland, Hooger Str. 2, ☎ 2102.

🕮 **Halligfahrten und Insel Pellworm**, Wilhelm E.F. Schmid GmbH, Am Außenhafen, ☎ 2014-16.

🕮 **Hallig Südfall, Hallig Gröde und zu den Seehundsbänken**, Neue Pellwormer Dampfschifffahrts GmbH, ab Husum Außenhafen, ☎ 04844/753, März bzw. April-Oktober

● **Stadtführungen**, Info unter ☎ 898730

● **Stadtrundfahrten** mit dem historischen Postbus, Info unter ☎ 69020.

⚓ **Husum-Bad**, Flensburger Chaussee, ☎ 8997155, ÖZ: Di-Fr 14-22 Uhr, Di u. Fr 6-8 Uhr, Sa 8-17 Uhr und So 8-18 Uhr. Modernes Hallen-Freizeitbad

🕮 **Fahrradverleih** Clausen, Osterende 94, ☎ 72975

🕮 **Fahrrad-Cornils**, Ludwig-Nissen-Str. 31, ☎ 2119

🕮 **Fahrradverleih** Eilrich, Ostenfelder Str. 12, ☎ 1479

Husum, am Rande der Geest liegend, ist seit dem Mittelalter ein bedeutendes Hafen-, Handels- und Schiffbauzentrum. Auch heute ist die Stadt der kulturelle und wirtschaftliche Mittelpunkt Nordfrieslands. Denkt man an Husum, denkt man an Theodor Storm. Der große Dichter wurde 1817 in Husum geboren und wurde dort auch Rechtsanwalt. Im Jahre 1852 musste er das, nun dänische, Gebiet wegen seiner politischen Haltung verlassen. Er praktizierte fortan in Potsdam und konnte erst 1864 in seine Heimat zurückkehren, um dort als Landvogt und Amtsrichter tätig zu sein. Als er 1888 starb hinterließ er seine Novellen und Gedichte, die untrennbar mit der norddeutschen Landschaft verbunden sind (u.a. Immensee 1851, Pole Poppenspäler 1875, Schimmelreiter 1888).

DIE FRIESEN

Gur Dai und **Faarwel üp Söl** sagt der Friese bei Ankunft und Abschied. Genauso wie das Friesisch haben sich die Friesen nie unterjochen lassen, weder vom "blanken Hans" noch von den verschiedensten Herrschern, wie zum Beispiel von Römern oder Dänen. So wie Ebbe und Flut die Landschaft geprägt haben, prägten sie auch die Menschen. Bei diesem harten Leben, immer im Kampf gegen Wind, Wasser und Gezeiten, hat sich die Ausdauer, Sturheit und Ehrlichkeit der Friesen gelohnt. Berühmte Künstler wie Theodor Storm oder Emil Nolde waren Kinder dieses Landes. In deren Werken spiegeln sich die Stimmungen und Schönheiten dieser herrlichen Landschaft wieder. Auch heute sind in Friesland viele talentierte Künstler beheimatet.

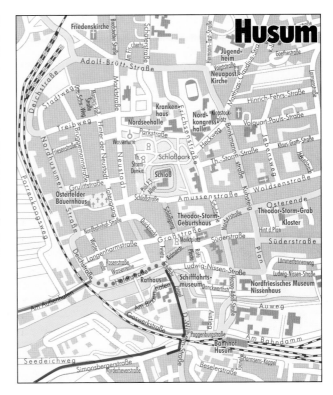

Von Husum nach Klanxbüll

107 km

Viel Nordsee, Badestrände, Kultur und schöne Landschaft finden Sie auch auf diesem letzten Streckenabschnitt des schleswig-holsteinischen Nordseeküsten-Radweges. Über Nordstrand fahren Sie immer am Deich entlang ins Nordseebad Dagebüll. Von hier aus weicht die Route wieder etwas ins Landesinnere ab und führt über Niebüll weiter gen Norden Richtung dänische Grenze. In Seebüll erfreuen die farbenfrohen Gemälde des Emil Nolde nicht nur den Kunstbegeisterten, ein gelungener Abschluss Ihrer Radreise entlang der deutschen Nordseeküste. Informationen zu den Inseln Amrum, Föhr und Sylt finden Sie im nächsten Abschnitt.

Wie bisher verläuft der Nordseeküsten-Radweg auf ruhigen Landstraßen und asphaltierten Deich- und Radwegen. Ganz selten müssen Sie für ein kurzes Stück auf Straßen mit mäßigem Verkehrsaufkommen ausweichen.

Von Husum nach Nordstrand   22,5 km

Auf der **Hafenstraße** verlassen Sie das Zentrum von Husum wieder — im Rechtsbogen der Hauptstraße geradeaus über die Gleise — Sie fahren auf der Straße **Am Außenhafen** aus Husum hinaus — bis zum **Nordseehotel** bleiben Sie auf dieser Straße — in einem Rechtsbogen vor dem Hotel entlang und erst danach fahren Sie links auf den Deich hinauf.

Badetipp: Hinter dem Hotel liegt der Badestrand.

Sie fahren nun wieder am Deich entlang — immer in Deichnähe gelangen Sie nach Schobüll — auf der **Alten Dorfstraße** fahren Sie in die Ortschaft — an der Straßengabelung links halten.

Schobüll
PLZ: 25875; Vorwahl: 04841

Bade- u. Verkehrsverein, Kirchenallee, ☎ 81842

In Schobüll gibt es das einzige Fleckchen Land an der

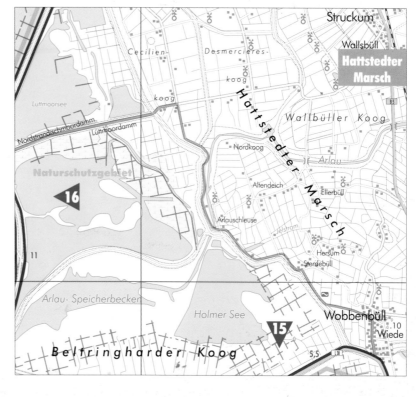

Schleswig-Holsteinischen Nordseeküste wo Ihr Blick zum Meer, und somit auf Ebbe und Flut, nicht durch einen Deich verdeckt wird.

An der Vorfahrtsstraße in Schobüll links auf den Radweg ~ kurz vor Ortsende wechselt der Radweg auf die rechte Straßenseite

Tipp: Wenn rechts die Straße nach Wobbenbüll abzweigt, dann treffen Sie die Entscheidung, ob Sie auf der Hauptroute über Nordstrand weiterfahren, oder eine Abkürzung über das Festland machen möchten.

Sie folgen nun dieser Straße nach Nordstrand über den Damm ~ wenn Sie in Nordstrand herzlich willkommen geheißen werden fahren Sie links über die Straße und fahren nun wieder am Deich entlang, den Schildern Radwanderweg Süderhafen folgend ~ an der **Schäferei** vorbei ~ Sie kommen vom Deichweg auf die Kreisstraße und wenden sich dort nach links ~ Sie durchfahren Süderhafen auf der normalen Straße.

Süderhafen

Sie verlassen den Deich ~ an der Straßengabelung geradeaus ~ gegen Ortsende be-

Halligen

ginnt ein straßenbegleitender Radweg ~ so kommen Sie nach Herrendeich.

Nordstrand

PLZ: 25845; Vorwahl: 04842

🚹 **Kurverwaltung**, Schulweg 4, ✆ 454

⛪ **Ev.-luth. Kirche St. Vincenz**, Odenbüll

⛪ **Röm.-kath. Kirche St. Knud**, Süden

⛪ **Alt-kath. Kirche St. Theresia**, Osterdeich

🏛 **Schutzstation Wattenmeer**, naturkundliche Wattführungen, Info ✆ 519.

🏛 **Nationalpark-Infozentrum**, Infozentrum, Kurzentrum Norderhafen, ✆ 8009. Ausstellung: Informationen zum Sehen, Hören und Entdecken über den Nationalpark Wattenmeer.

🚌 **Wattenfahrten mit der Pferdekutsche** zur Hallig Südfall, Info ☎ 300.

🚌 **Wattenführungen** zur Hallig Südfall, Info ☎ 8360.

🚲 **Fahrradverleih** Bochen, Osterdeich 134 , ☎ 8628

🚲 **Fahrradverleih** Ketelsen, Moordeich 68, ☎ 1313

🚲 **Fahrradverleih** Uhle, Osterdeich 26, ☎ 219

Von Nordstrand nach Dagebüll   *38 km*

Sie folgen dann der Straße Richtung Westen und Trendermarsch links auf der Straße **Süden** — dann folgen Sie dem Linksbogen und gleich darauf wieder rechts.

Süden

Linker Hand können Sie sich im Laden mit Schaffellen und Keramik eindecken — gegen Ortsende gabelt sich die Straße, Sie fahren rechts durch den Deich — an den Häusern von **Westen** entlang — Sie kommen zum Deich und fahren an dessen Innenseite zu den Schiffen nach Pellworm und zu den Halligen.

Fähre Pellworm

🚢 **Pellworm**, Neue Pellwormer Dampfschifffahrts GmbH, ☎ 04844/753, mehrmals täglich.

🚢 **Hallig- u. Inselfahrten** nach Hooge, Gröde, Nordstrandischmoor, Amrum, Sylt und Seehundsbänke, Reederei Paulsen, Mitteldeich, ☎ 268.

Pellworm

PLZ: 25849; Vorwahl: 04844

🛈 Kurverwaltung, Uthlandstr. 2, ☎ 18940-43

🏛 **Inselmuseum**

● **Leuchtturmbesichtigung**, zu Beginn des 20. Jh.s gebaut, genauso wie die Leuchttürme Westerheversand und auf Sylt, 35 Meter hoch mit 12 Etagen.

● **Ringreiten**, Juni/Juli

🚌 **Informations- und Erlebniszentrum** der Schutzstation Wattenmeer, Osterschütting 9, ☎ 760.

Im 13. Jahrhundert war Pellworm noch keine Insel, sondern ein Teil der damaligen Fest-

landsküste, der Uthlande (Wasserlande). Die ersten Siedler im 9. Jahrhundert errichteten ihre Häuser noch auf ebener Erde. In den folgenden Jahrhunderten zwang der steigende Meeresspiegel sie jedoch dazu, ihre Häuser auf Warften, das sind künstliche Erdhügel, zu bauen.

Auf Höhe der Fähre stoßen Sie beim Parkplatz auf die Zufahrtsstraße für den Kfz-Verkehr — auf dieser Straße fahren Sie ohne Radweg bis nach Norderhafen.

Norderhafen

In Norderhafen vor der Brücke links — Sie fahren auf dem Deich an den Häusern entlang.

Tipp: Sie können nun wieder beiderseits des Deiches weiterfahren, beschrieben wird aber nur die Route innen am Deich.

Sie fahren links in den **Holmerfährweg** beim Campingplatz dann rechts und in die erste Straße wieder links ~ an der nächsten größeren Querstraße erneut links ~ ab dem **Holmersiel** ist kein Kfz-Verkehr mehr erlaubt ~ auf dem Damm fahren Sie zwischen dem Naturschutzgebiet Beltringharder Koog rechts und der Nordsee links von Ihnen gen Norden ~ Unser Tip: Nachdem zur Rechten wieder festes Land zu sehen ist, liegt nicht weit

entfernt im Landesinneren das Städtchen Bredstedt.

Bredstedt
PLZ: 25821; Vorwahl: 04671
- 🛈 **Fremdenverkehrsverein**, Rathaus, ☎ 5857
- ⛪ **St. Nikolai-Kirche**, erbaut 1510, Spätgotik mit sehenswerten Holzschnitzereien
- 🏛 **Naturzentrum Nordfriesland**, Bahnhofstr. 23, ☎ 4555, ÖZ: Mo-Sa 14-18 Uhr, Mai-Okt. Thema: die verschiedenen Landschaftsformen Nordfrieslands, Nationalpark Wattenmeer.
- 🚲 **Fahrradverleih** Lüdtke, Markt 30, ☎ 5142

Bredstedt ist eine kleine traditionsreiches Stadt, in der der berühmte friesische Maler Christian Albrecht Jansen und der Maler und Holzschnitzer Christian Carl Magnussen geboren wurden. Der in der St. Nikolai-Kirche befindliche Altar wurde von der Schule Magnussens gefertigt. Auch ein berühmter Sohn dieser Gegend war Sönke Nissen. Nissen entdeckte im April 1908 in Südafrika eine Diamantenmine und wurde entsprechend reich. Als er erfuhr, dass die Eindeichung des Bredstedter Vorlandes geplant wurde, übernahm er die finanzielle Absicherung. Die Fertigstellung des Deiches

am 1. Dezember 1926 konnte er nicht mehr erleben, denn er starb bereits im Jahre 1923. Der Koog wurde nach ihm benannt und ist heute Ausgangspunkt für Ausflüge zu Fuß oder per Rad zur Hallig Hamburg.

Hallig Hooge

Sie kommen dann auch bald darauf zum Abzweig zur Hamburger Hallig ~ Sie können hier mit dem Fahrrad hinüberfahren.

Hamburger Hallig
- 🏛 **Hamburger Hallig**, Info unter ☎ 04674/1455, Arbeitskreis Hamburger Hallig Sönke Nissen. Ein einmaliges Erlebnis eines Hallig-Besuches, Entdecken der Salzwiesen-Vegetation, Naturpfad und ein Informationspavillon.

Tipp: Ab der Hamburger Hallig empfiehlt es sich nun auf der Außenseite des Deichs zu fahren.

Es geht an der Fähre Schlüttsiel vorbei, sie ist von der Hamburger Hallig aus in gut 10 Kilometern erreicht.

Schlüttsiel

PLZ: 25842; Vorwahl: 04674

🅸 **Verein Jordsand**, Hauke-Haien-Koog, D-24842 Ockholm, ☎ 848

⛴ **Halligmeerfahrten**, Halligreederei Neuton und Heinrich von Holdt, D-25842 Ockholm, ☎ 1535

⛴ **Halligmeerfahrten**, Kapitän Petersen, Westerweg 4, D-25899 Galmsbüll, ☎ 04667/367

🔲 Vogel- und landeskundliche Führungen, Treffpunkt vor dem Infozentrum des Vereins Jordsand, Di-So 10 Uhr

⚠ Nach rund weiteren 6 Kilometern fahren Sie auf die Innenseite des Deiches hinüber und zweigen dann in die erste Straße, die rechts vom Deich sich abwendet, ab ⟶ über die Gleise zur Landstraße ⟵ links liegt Dagebüll, die Weiterfahrt setzen Sie hier nach rechts fort.

Dagebüll

PLZ: 25899; Vorwahl: 04667

🅸 **Touristinformation/Zimmervermittlung**, Am Badedeich 1, ☎ 353 u. 95000

⛴ **Fähren nach Föhr und Amrum**, Mai-Oktober mehrmals täglich, ☎ 04681/80-0, Fahrzeuganmeldung -140

● **Ausflüge zur Insel Sylt, nach Legoland und Kopenhagen**, Schmidt Reisen, ☎ 94255 und Nordfriesische Verkehrsbetriebe AG, ☎ 04661/98088-0

🔲 **Naturkundliches Infozentrum** Verein Jordsand, ☎ 229

🚲 **Fahrradverleih** Großgaragen, ☎ 320

🚲 **Fahrradverleih**, Schmidt-Reisen, 94255

Tipp: Sie können von Dagebüll aus die Nordseeinseln Föhr und Amrum besuchen. Ab Seite 79 finden Sie Infos sowie Karten-

ausschnitte zu den Inseln und im Übernachtungsverzeichnis Unterkunftsmöglichkeiten.

Von Dagebüll nach Niebüll   17 km

Dagebüll verlassen Sie auf dem Radweg entlang der **L 9** Richtung Niebüll ⟶ nach Ortsende nach dem großen Abzweig nach rechts wechseln Sie auf den Radweg links der Straße ⟵ bei dem ersten Haus auf der linken Seite biegen Sie im spitzen Winkel nach links ab ⟶ auf einer kleinen asphaltierten Straße durchfahren Sie den **Neugalmsbüllerkoog** ⟵ in Galmsbüll nach einem Rechts-Links-Schwenk auf den Deich

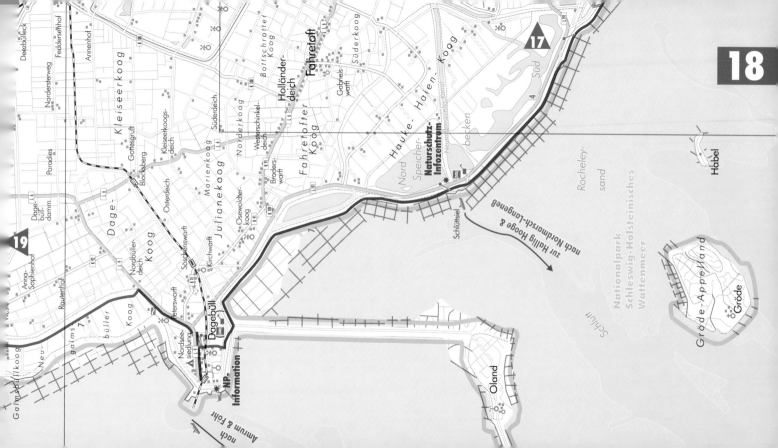

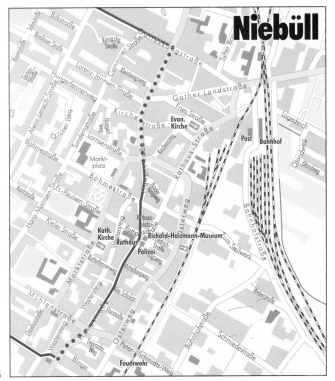

Niebüll

Galmsbüll

Über den Deich und der asphaltierten Straße rechtsherum folgen ∼ Sie kreuzen eine Querstraße ∼ an der darauffolgenden Querstraße links ∼ Sie steuern **Neugalmsbüll** mit seiner sehenswerten Kirche an ∼ an der Straße **Mitteldeich** links ∼ rund 2 Kilometer verweilen Sie auf dieser Straße mit mäßig starkem Verkehr, dann fahren Sie rechts in einem spitzen Winkel ab ∼ nach der schnurgeraden Straße durch die Felder an der T-Kreuzung rechts ∼ nach 700 Metern schon wieder links über eine Steinbrücke ∼ an der Kreisstraße 107 rechts ∼ Sie kommen zur Hauptstraße in Niebüll, zur Rechten liegt gleich das **Naturkundemuseum** ∼ Sie biegen hier links Richtung Rathaus ein ∼ an der Ampel geradeaus, Sie kommen zum Museum für Moderne Kunst und zum **Rathausplatz**.

Niebüll

PLZ: 25899; Vorwahl: 04661

🛈 **Touristinformation/Zimmervermittlung**, Rathausplatz, ☎ 9410-15, -14

🏛 **Naturkundemuseum**, Hauptstr. 108, ☎ 5691, ÖZ: Di-So 14-17.30 Uhr, April-Okt. Thema: die Natur Nordfrieslands an Land, im Wasser und in der Luft.

🏛 **Friesisches Museum**, Osterweg 76, ☎ 3656, ÖZ: tägl. 14-16 Uhr. Thema: In dem über 200 Jahre alten Bauernhaus wird das Leben und Arbeiten der Bauern vor der Industrialisierung gezeigt.

🏛 **Richard-Haizmann-Museum**, Rathausplatz, ☎ 1010, ÖZ: Di-Fr 11-16.30 Uhr, Sa 10-12 Uhr, So 14-17 Uhr. Thema: Museum für moderne Kunst.

Von Niebüll zur dänischen Grenze   21 km

Vom **Rathausplatz** fahren Sie geradeaus weiter, ebenso an der

nächsten Hauptstraße, der **Uhlesbüller Straße** am Supermarkt noch vorbei und dann links in die **Gotteskoogstraße** Sie verlassen Niebüll wieder die Straße Richtung Süderlügum zweigt rechts ab, Sie fahren geradeaus weiter erst an der Straße **Am Rollwagenzug** biegen Sie rechts ab Sie queren einen unbeschrankten Bahnübergang und danach noch die **Klanxbüller Straße** die Straße beschreibt eine starke Rechtskurve und weiter geht's auf dem **Nordergotteskoogweg** an der T-Kreuzung mit der Vorfahrtsstraße links Sie passieren den **Annenhof**.

Sie fahren einfach auf der Kreisstraße weiter geradeaus nach der kleinen Brücke links in die Straße **Hattersbüllhallig** nach einer kleinen Brücke an der Straßengabelung

rechts an der Vorfahrtsstraße links nach rund 2,5 Kilometern rechts in den **Hülltoftweg** an der Straßengabelung links halten an der nächsten Vorfahrtsstraße biegen Sie rechts ein.

Badetipp: Wenn Sie an dieser Stelle geradeaus fahren, dann kommen Sie zur Badestelle Hülltofter Tief.

Sie biegen dann in die nächste Straße namens **Seebüll** zum Nolde-Museum links ab.

Seebüll

🏛 **Emil Nolde-Museum**, ✆ 04664/364, ÖZ: März-Nov. 10-18 Uhr. Thema: Werke des Malers im seinem 1927-1932 erbauten Wohnhaus.

Tipp: Vom Nolde-Museum zur dänischen Grenze gibt es noch ein rund 500 Meter langes Wegstück, das mehr oder weniger

über die Wiese führt. Es gibt die Möglichkeit einen Umweg rund um den Badesee zu machen. Die Routenführung ist in der Karte Orange markiert.

Vom **Nolde-Museum**, und zwar vom Parkplatz direkt beim Haus geradeaus in den Weg mit dem Fahrverbot bis zum Haus ist der Weg geschottert, danach ist es mehr eine Wiese über eine Brücke, dann noch ein Stück über die Wiese auf Asphalt dann zur Hauptstraße vor rechts entlang der Landesstraße gelangen Sie dann zur Grenze nach Dänemark.

Tipp: Sie können nun auf dem Nordseeküsten-Radweg nach Dänemark weiterfahren, siehe auch *bikeline*-**Nordseeküsten-Radweg Teil 4** entlang der dänischen Küste (Erscheinungstermin voraussichtlich Frühjahr/Sommer 2001). Wenn Sie aber die Tour hier beenden möchten, dann sollten Sie nach Klanxbüll zum Bahnhof fahren. Von hier aus können Sie auch mit dem Zug nach Sylt übersetzen, als krönenden Abschluss Ihrer Reise.

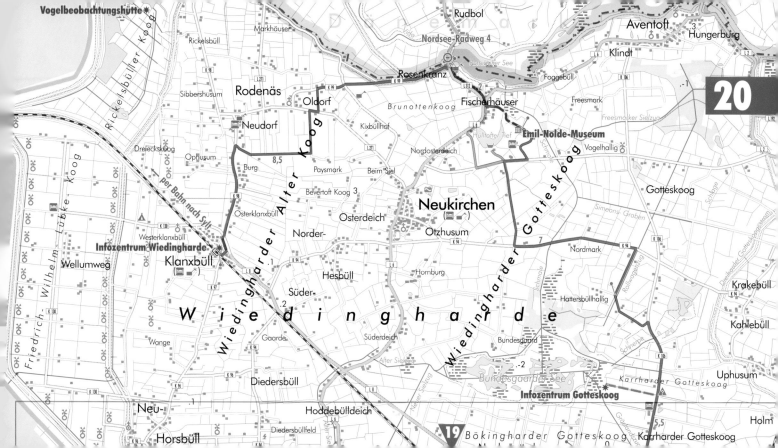

Von der dänischen Grenze
nach Klanxbüll   8,5 km

Für die Weiterfahrt nach Klanxbüll wenden Sie sich vor der Grenze links ab in die **Grenzstraße** ~ weiter nach **Rodenäs** ~ an der Kreuzung, an der es links zum **Galerie-Café** geht, fahren Sie geradeaus weiter – außer Sie stärken sich im Café ~ an der nächsten Abzweigung dann links ~ an der Vorfahrtsstraße, der **L 271** rechts und hinter dem ersten Haus gleich wieder links nach **Paysmark** ~ Sie steuern ein großes landwirtschaftliches Gebäude an und fahren kurz davor nach rechts an der Vorfahrtsstraße links Richtung Klanxbüll ~ auch an der nächsten Vorfahrtsstraße fahren Sie links, rechter Hand ein Radweg bei der nächsten Gelegenheit dann rechts zum Bahnhof von Klanxbüll.

Klanxbüll-Wiedingharde

PLZ: 25924; Vorwahl: 04668

🅸 **Informationszentrum** Wiedingharde, Toft 1, ☏ 313

🏛 Im Informationszentrum erwartet Sie eine **Erlebnisausstellung** über die Region.

Klanxbüll

🏖 **Reetgedeckte Kirche**, 13. Jh., mit spätromanischem Taufstein und Renaissancekanzel

● **Windmillclimbing**, jeden Mi 15 Uhr, Mai-September, ab 14 Jahre, 35 DM/Person, ☏ 313. Klettern auf eine Windenergieanlage.

● **Charlottenhof**, Kultur- und Tagungshaus, Osterklanxbüll 4, ☏ 9210-0

⊞ **Rickelsbüller Koog**, durch Eindeichung hat sich der Koog zum Süßwasserbiotop entwickelt und ist Paradies für ca. 150 Vogelarten, Info ☏ 313. Wöchentl. Führungen.

Im Jahre 1362 verursachte eine schreckliche Flut die Abtrennung vom Festland. Wiedingharde war nun 200 Jahre lang bis zum Bau von zwei Deichen eine Insel. Aber seit dieser Zeit ist das Land besonders fruchtbar und viele typische Bauernhäuser entstanden. Der Fremdenverkehrsverein schreibt in seinem Prospekt: Das Wertvollste gibt es in Wiedingharde kostenlos. Gemeint ist die gesunde Luft, die vor allem für Kinder mit Neurodermitis empfohlen wird. Hier ist alles noch etwas ruhiger und beschaulicher. Ganz im Norden Deutschlands liegend, lassen sich die verschiedensten Ausflüge unternehmen, zum Beispiel ins nahe Dänemark (z.B. die historische Grenzstadt Tønder), zu den Inseln und Halligen oder in den größten Windpark Europas im **Friedrich-Wilhelm-Lübke-Koog**. Nach einigen schönen Stunden mit viel frischer Luft, Wasser und Bewegung klingt der Tag am besten bei einem Schlick-Schluck (landestypisches Kakaogetränk) langsam aus.

Die Inseln Föhr, Amrum und Sylt

Die Inseln Föhr, Amrum und Sylt werden von der Routenführung des Nordseeküsten-Radweges nicht berührt. Da die Inseln jedoch ein wichtiger Bestandteil der schleswig-holsteinischen Nordseeküste sind haben wir für Sie auf den folgenden Seiten Informationen zu den Inseln zusammengestellt. Auch Karten mit Ausflugsrouten finden Sie hier, damit Sie Nordsee pur auf den bezaubernden Inseln genießen können: Strand, Meer, Sonne (hoffentlich), Wind, Dünen und viel, viel Ruhe und Erholung.

Die aktuellsten Informationen zur Anreise auf die Inseln erhalten Sie am Besten beim Nordsee-Tourismus-Service (Adresse s. Einleitung) oder bei den Tourist-Informationen von Amrum, Föhr und Sylt (s. die folgenden Seiten). Im Übernachtungsverzeichnis finden Sie ebenso Adressen von Unterkünften auf den drei Inseln.

Nieblum auf Föhr

Insel Föhr

PLZ: 25938; Vorwahl: 04681

🛈 **Kurverwaltung** Wyk auf Föhr, Hafenstr. 23, ☎ 3040

⛴ **Föhr-Dagebüll-Föhr**, ganzjährig mehrmals tägl., ☎ 80-147

⛴ **Wyk-Helgoland-Wyk**, Mai-Oktober mehrmals wöchentlich, ☎ 80-147

● **Umwelt- und Veranstaltungszentrum**, Sandwall 38, Wyk, Infos unter ☎ 801714.

🏛 **Ev. Luth. Kirche St. Nicolai**, Wyk-Boldixum, ☎ 4464, Kirchenführungen Pfingsten bis September Mo 17 Uhr.

🏛 **Ev. Kirche St. Johannis**, Nieblum.

🏛 **Ev. Kirche St. Laurentii**, Süderende. Bei diesen drei Kirchen gibt es auf den Friedhöfen interessante Grabsteine aus der Walfängerzeit zu sehen.

🏛 **Windmühle "Großer Erdholländer"**, Wrixum.

● **Wyker Fischmarkt**, Alter Hafen, So 10-15 Uhr in den Sommermonaten.

● **Wyker Bauernmarkt**, Rathausplatz, Mi u. Sa 9-12 Uhr in den Sommermonaten.

🔲 **Nationalpark Infozentrum**, Rathaus Wyk auf Föhr, ☎ 4290. Infos rund um den Nationalpark Wattenmeer.

〰 **AquaWyk-Föhr**, Meerwasserwellenbad, Stockmannsweg, Wyk, ☎ 5007-0.

🚲 **Fahrradverleih** Deichgraf, Hafenstr. 5, Wyk, ☎ 04681/2487

🚲 **Fahrradverleih** Fehr, Badestr. 8, Wyk, ☎ 3864

🚲 **Fahrradverleih** Martens, Rugstieg 19a, Wyk, ☎ 3481

🚲 **Fahrradverleih** Schultz, Badestr. 11, Wyk, ☎ 8319

🚲 **Fahrradverleih** Petra, Königsstr., Wyk, ☎ 8989

🚲 **Fahrradverleih** Prinzen, Gmelinstr. 29, Wyk, ☎ 8624

🚲 **Fahrradverleih** Büttner, Oldsum-Toftum, ☎ 04683/1543

Amrum

🚲 **Fahrradverleih** Jürgens, Oldsum, ☎ 04683/704

🚲 **Fahrradverleih** Baerenzung, Dörpwundt 13, Wrixum, ☎ 04681/2402

🚲 **Fahrradverleih** Nordseewind, Ohl Dörp 18b, Wrixum, ☎ 580830

🚲 **Fahrradverleih** Erika Hansen, Utersum, ☎ 04683/412

🚲 **Fahrradverleih** Paula Hansen, Utersum, ☎ 04683/244

🚲 **Fahrradverleih** Petersen, Oevenum, ☎ 04681/8303

🚲 **Fahrradverleih** Thomsen, Borgsum, ☎ 04683/332

● **Inselrundflüge**, Am Südstrand, Wyk, ☎ 04681/8139

1819 wurde Wyk auf der grünen Insel Föhr das erste Seebad an der schleswig-holsteinischen Nordseeküste. Kuren bei Erkrankungen der Atemwege und Hautirritationen sind hier besonders wirkungsvoll, da das Wasser und die Luft mit Meeresaerosol versetzt sind. Die Insel Föhr ist ein Vorbild für den aktiven Umweltschutz. So verzichtet der Handel seit Jahren auf Getränkedosen und bietet Mehrwegverpackungen an. Strandaschenbecher, Tempolimit,

Amrum

rapsbetriebene Busse mit Fahrradanhänger, Korksammelstellen, Windkraftanlagen, Verzicht auf Tropenholz und PVC, um nur einige der vielen Aktivitäten zu nennen, trugen dazu bei, dass die Insel im einzigartigen Wattenmeer den Projektpreis 1997 für umweltfreundliche Fremdenverkehrsorte erhielt.

Insel Amrum

PLZ: 25946; Vorwahl: 04682

🛈 **Amrum Touristik**, Am Fähranleger Wittdün, ☎ 94030

🛥 **Wittdün-Dagebüll-Wittdün**, mehrmals tägl. von ganzjährig

🛥 **Ausflugsfahrten** zu den Halligen, Föhr, Sylt und Helgoland, ☎ 94920

⛵ **Leuchtturm** Wittdün, ÖZ: Mo-Fr 8.30-12.30 Uhr

⛵ **historisches Friesenhaus** "Öömrang Hüs" in Nebel, ÖZ: Mitte Mai-Ende September Mo-Fr 10-12 u. 15-17 Uhr, Sa 15-17 Uhr, Thema: über das Leben der Friesen vor vergangenen Zeiten

⛵ **St.-Clemens-Kirche**, Nebel, mit historischen Grabsteinen

🏛 **Naturschutzzentrum**- Schutzstation Wattenmeer Wittdün, Mittelstr. 34, ÖZ: Mo-Mi 10-13 u. Do-Sa 14-17 Uhr

🏛 **Öömrang Ferian i.f.**, Naturschutzverein für Amrum, Naturzentrum Norddorf, Strunwai 31, ☎ 1635, der Verein veranstaltet Strand- und Dünenführungen, naturkundliche Wattführungen, archäologische- und vogelkundliche Führungen

● **Heiraten** im Wohnzimmer eines alten Friesenhauses, Info Standesamt Amrum ☎ 94110

🛁 **Amrumbadeland** Wittdün, Meerwasserwellenbad, ☎ 943455, ÖZ: So-Fr 10-20 Uhr

🛁 **Meerwasserfreischwimmbad** Norddorf, ÖZ: Mai-September, übrige Zeit, Kleine Halle

🚲 **Fahrradverleih** Gerisch, Wittdün, ☎ 2188

🚲 **Fahrradverleih** Isemann, Wittdün, ☎ 949077

🚲 **Fahrradverleih** Matzen, Wittdün, ☎ 574

🚲 **Fahrradverleih** Petersen, Wittdün, ☎ 1314

🚲 **Fahrradverleih** Siebert, Wittdün, ☎ 2084

🚲 **Fahrradverleih** Hansen, Nebel, ☎ 96262

🚲 **Fahrradverleih** Jöns, Nebel, ☎ 2602

🚲 **Fahrradverleih** Nils & Marc, Nebel, ☎ 1200

🚲 **Fahrradverleih** Martinen, Süddorf, ☎ 2206

🚲 **Fahrradverleih** Ottens, Süddorf, ☎ 940940

🚲 **Fahrradverleih** Peters, Steenodde, ☎ 665

🚲 **Fahrradverleih** Amrumer Fahrradcenter, Norddorf, ☎ 96271

🚲 **Fahrradverleih** Schau, Norddorf, ☎ 1058

🚲 **Fahrradverleih** Urbanski, Norddorf, ☎ 2276

Amrum

Die ganze Insel Amrum mit ihren 1890 gegründeten Badeorten ist Naturschutz- und Landschaftsschutzgebiet. Wanderungen ins Vogelschutzgebiet, bei Ebbe barfuß durchs Watt bis zur Insel Föhr, die schönen alten Häuser und Mühlen anschauen, gut essen und trinken und einfach die Seele baumeln lassen. Auf Amrum,

das weitgehend vom Massentourismus verschont ist, kann man vorzüglich ausspannen und die Natur genießen.

Insel Sylt

PLZ: 25980; Vorwahl: 04651

🛈 **Bädergemeinschaft Sylt**, Stephanstr. 6, Westerland,
✆ 82020

🏛 **Sylter Heimatmuseum**, Söl'ring Foriining (Sylter Verein)
✆ 32884, Keitum, ÖZ: April-Okt. tägl. 10-17 Uhr, Nov.-März Do-Sa 13-16 Uhr, Thema: Seefahrt, Geologie, Archäologie, Tracht, Schmuck und über das Leben Uwe-Jens Lornsens, angegliedert ist das Magnus Weidemann (Sylter Maler + Fotograf) Museum

🏚 **Altfriesisches Haus**, Söl'ring Foriining (Sylter Verein)
✆ 32884, Keitum, ÖZ: April-Okt. tägl. 10-17 Uhr, Nov.-März Do-Sa 13-16 Uhr, Thema: Sylter Wohnkultur des 18. Jahrhunderts, Dauerausstellung zur Vogelkunde.

📷 **Kampener Vogelkoje**, ÖZ: Pfingsten-Sept. tägl. 10-17 Uhr, Okt. tägl. 13-17 Uhr,

📷 **Naturzentrum Braderup**, Buchholz-Stig 1, ✆ 44421, ÖZ:

Sylt

April-Okt. Mo-Sa 10-12 u. 14.30-18 Uhr, Juli/Aug. durchgehend.

📷 **Eidum-Vogelkoje**, Verein Jordsand, Rantum, ✆ 5812

📷 **Naturkundliches Infozentrum** Schutzstation Wattenmeer, Kuno-Ehlfeldt-Haus in Hörnum,
✆ 881093

● **Groß-Steingrab** "Denghoog", 4500 Jahre alt, Wenningstedt, ÖZ: April-Sept. Mo-Sa 10-16 Uhr, Okt.-März gegen Voranmeldung. 5000 Jahre altes, begehbares Großsteingrab

● **Meerkabarett**, Flughafen Wenningstedt, Info ✆ 040/398814-0, jährl. von Ende Juni bis Ende Aug. unter Mitwirkung namhafter Komödianten, Kabarettisten und Entertainern in einem Viermastzelt statt. Kartenbestellung unter ✆ 4711.

📷 **Tierpark "Tinnum"**, Ringweg, ✆ 04651/32601, ÖZ: Mitte Mai-Mitte Oktober tgl. 10-19 Uhr. Auf über 30000 qm findet man hier 300-400 Tiere in schöner Gartenanlage.

📷 **Meerwasser-Freibad Keitum**, ✆ 31493, ÖZ: Mai-Okt. Mo-Sa 8.30-18 Uhr.

📷 **Fahrradverleih BP-Tankstelle**, Kampen, ✆ 04651/4956

📷 **Fahrradverleih Campingplatz**, Kampen, ✆ 04651/42086

📷 **Fahrradverleih Brodersen**, Mittelstieg, Kampen, ✆ 45172

Westerland, List, Kampen, wer kennt sie nicht, die berühmten Orte auf der Insel Sylt? Früher oft unerschwinglich für Otto-Normalverbraucher, sind sie heute für (fast) jedermann bezahlbar und dazu auch noch kinderfreundlich. Wer die Ruhe liebt, sollte aber in die kleineren Orte auf Sylt fahren. **Rantum** mit dem größten Seevogelschutzgebiet an der Küste oder das familienfreundliche **Hörnum**, das deshalb schon eine Auszeichnung erhielt. Von hier, wo noch vor 200 Jahren Piraten in ihren Verstecken auf ihre Opfer warteten, kann man die schönen Ausflüge zu den Halligen oder den Nachbarinseln unternehmen. In **Morsum** ist es gar nicht so abwegig millionenalte Versteinerungen zu finden. Nicht ganz so alt, aber lebendig ist die Sprache der Sylter, das Friesisch, die hier in besonderem Maße gepflegt wird. Besonders gepflegt vom Verein Söl'ring Foriining, der 1905 gegründet wurde. Dieser Verein kümmert sich auch um die Museen der Insel und verschiedene überlieferte Traditionen, die auf Sylt weiterleben.

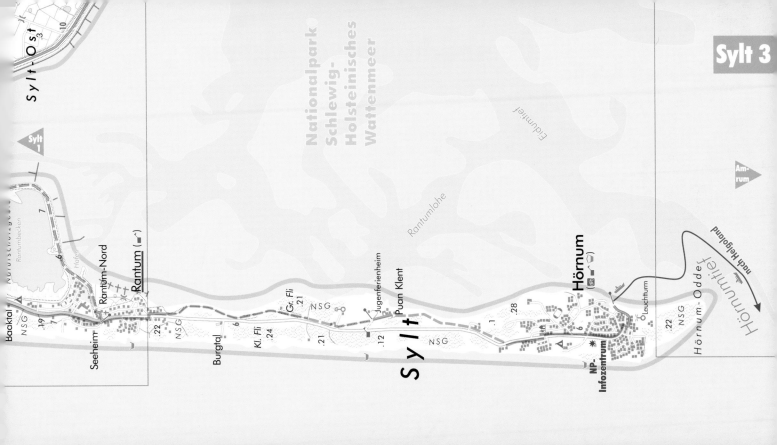

Sylt 3

Sylt-Ost

Sylt 1

Am-rum

Nationalpark Schleswig-Holsteinisches Wattenmeer

Eidumtief

Rantumlohe

Baaktal

Nordstrandpolder

Rantumbecken

Hafen

Rantum-Nord

Rantum

N.S.G.

.19

7

7

6

Seeheim

.22

N.S.G.

Burgtal

Kl. Fli

.24

.6

.21

Gr. Fli

.21

N.S.G.

Jugendferienheim

Puan Klent

.12

S y l t

N.S.G.

.1

.28

N.S.G.

.6

Hörnum

Leuchtturm

.22

N.S.G.

Hörnum-Odde

Hörnumtief

nach Helgoland

NP-Infozentrum

Bett & Bike

Alle mit dem Bett & Bike-Logo (🚲) gekennzeichneten Betriebe nehmen an der ADFC-Aktion „Fahrradfreundliche Gastbetriebe" teil. Sie erfüllen die vom ADFC vorgeschriebenen Mindestkriterien und bieten darüber hinaus so manche Annehmlichkeit für Radfahrer. Detaillierte Informationen finden Sie in den ausführlichen Bett & Bike-Verzeichnissen – diese erhalten Sie überall, wo's *bikeline* gibt.

Im folgenden sind Hotels (H, Hg), Pensionen (P) und private Unterkünfte (Pz), aber auch Jugendherbergen und Campingplätze der meisten Orte entlang der Nordseeküste Schleswig-Holsteins und entlang der Ausflugsrouten angeführt. Die Orte sind nicht in alphabetischer Reihenfolge, sondern analog zur Streckenführung aufgelistet.

Das Verzeichnis erhebt keinen Anspruch auf Vollständigkeit und stellt **keine Empfehlung** der einzelnen Betriebe dar. Wichtigstes Auswahlkriterium ist die Nähe zur Radstrecke, in Städten wurden vor allem Betriebe im Zentrum oder nahe zur Route ausgewählt.

Die römische Zahl (I–VI) nach der Telefonnummer gibt die Preisgruppe des betreffenden Betriebes

an. Folgende Unterteilung liegt der Zuordnung zugrunde:

I	unter DM 30,–
II	DM 30,– bis DM 45,–
III	DM 45,– bis DM 60,–
IV	DM 60,– bis DM 70,–
V	DM 70,– bis DM 100,–
VI	über DM 100,–

Die Preisgruppen beziehen sich auf den Preis pro Person in einem Doppelzimmer mit Dusche oder Bad inkl. Frühstück. Unterkünfte mit dem Symbol ✗ nach der Preisgruppe bieten nur Zimmer mit Etagenbad/-dusche an.

Da wir das Verzeichnis stets ergänzen, sind wir für Anregungen Ihrerseits dankbar. Die Eintragung erfolgt für die Betriebe natürlich kostenfrei.

Hamburg

PLZ: 20015; Vorwahl: 040

🛈 **Tourismus-Zentrale Hamburg GmbH**, Postfach 102249, ✆ 300 51-300

🛈 **Tourismus-Information im Hauptbahnhof**, Hauptausgang Kirchenallee, ✆ 300 51-200. ÖZ: tgl. 7-23 Uhr.

🛈 **Tourismus-Information am Hafen**, St.-Pauli-Landungsbrücken, Zwischen Brücke 4 und 5, ✆ 300 51-200. ÖZ: tgl. 10-19 Uhr.

🛈 **Hamburg Hotline**, ✆ 30051300

H Landhaus Flottbek, Stadtteil Flottbek 22607, Baron-Voght-Str. 179, ✆ 822741-0, VI

H Monopol, Reeperbahn 48, 20359, ✆ 311770, IV-VI

H Schanzenstern, Bartelsstr. 12, 20357, ✆ 4398441, III-IV 🚲

H Steigenberger Hamburg, Heiligengeistbrücke 4, Zentrum 20459, ✆ 368060, VI

H Senator, Lange Reihe 18-20, Zentrum 20099, ✆ 241203, V-VI

H ibis Hamburg Alster, Holzdamm 4-12 u. 16,

Zentrum 20099, ☎ 248290 V-VI

H junges Hotel, Zentrum 20097, Kurt-Schuma-cher-Allee 14, ☎ 28054825, III-IV (ab Mai 2000)

H Best Western St. Raphael, Adenauerallee 41, Zentrum 20097, ☎ 24820-0, V-VI

H City House, Pulverteich 25, Zentrum 20099, ☎ 2803850, V-VI

H Hanseatin, Zentrum 20355, Dragonerstall 11, ☎ 341345, VI (nur Frauen)

H Fock & Oben, Ostfrieslandstr. 2, südlich der Elbe 21129, ☎ 7426544, V

H Kiek in, Nordemeerstr. 48, südlich der Elbe 21129, ☎ 7421550, III-V

⌂ das junge gästehaus ottensen, Stadtteil Ottensen 22765, Kleine Rainstr. 24-26, ☎ 39919191

Innenstadt

H Aachener Hof, St. Georg Str. 10, 20099 HH, III-VI

H Alameda Hof, Colonnaden 45, 20099 HH, V-VI

H Alpha, Koppel 6, 20099 HH, III-IV

H Alster-Hof, Esplanade 12, 20354 HH, VI

H Alte Wache, Adenauerallee 12, 20097 HH, VI

H Alt-Nürnberg, Steintorweg 15, 20099 HH, III-V

H Annenhof, Lange Reihe 23, XII

H Aussen Alster, Schmilinskystr. 11, 20099 HH, VI

H Baseler Hof, Esplanade 11, 20354 HH, III-V

H Bee Fang, Kirchenallee 26, 20099 HH, IV-V

H Travel Charme Hotel Bellevue, An der Alster 14, 20099 HH, VI

H Benecke, Lange Reihe 54-56, 20099 HH, III

H Bremer Hof, Bremer Reihe 21-23, 20099 HH, III-V

H Brenner Hof Garden, Brennerstr. 70-72, 20099 HH, III-V

H Condor, Steintorweg 17, 20099 HH, V-VI

H Continental, Kirchenallee 37, 20099 HH, V-VI

H Eden, Ellmenreichstr. 20, 20099 HH, III-VI

H Europäischer Hof, Kirchenallee 45, 20099 HH, VI

H Fürst Bismarck, Kirchenallee 49, 20099 HH, V-VI

H Graf Moltke, Steindamm 1, 20099 HH, IV-VI

H Frauenhotel Hanseatin, Dragonerstell 11, 20355 HH, V-VI

H Kempinski Hotel Atlantic Hamburg, An der Al-

ster 72-79, 20099 HH, VI

H Kieler Hof, Bremer Reihe 15, 20099 HH, III

Hg Kochler, Bremer Reihe 19, 20099 HH, III-IV

H Köhler, St. Georgstr. 6, 20099 HH, III-IV

H Kronprinz, Kirchenallee 46, 20099 HH, V-VI

H Lilienhof, Ernst-Merck-Str. 4, 20099 HH, III-V

H Maritim Hotel Reichshof, Kirchenallee 34-36, 20099 HH, VI

H Hamburg Marriott Hotel, ABC-Str. 52, 20354 HH, VI

H Mercedes, Steindamm 51, 20099 HH, III-V

H Metro Merkur, Bremer Reihe 12-14, 20099 HH, V-VI

H Nord, Bremer Reihe 22, 20099 HH, II-III

H Norddeutscher Hof, Kirchenallee 24, 20099 HH, V-VI

H Novotel Hamburg City Süd, Amsinckstr. 53, 20097 HH, V-VI

H Novum Hamburg, Steindamm 29, 20099 HH, III-V

H Oase, Steindamm 79, 20099 HH, III-VI

H Oper, Drehbahn 15-23, 20354 HH, VI

H Phönix, Kirchenallee 56, 20099 HH, III-V

H Popp, Kirchenallee 53, 20099 HH, IV-VI

H Prem, An der Alster 9, 20099 HH, VI

H Radisson SAS Hotel Hamburg, Marseiller Str. 2, 20355 HH, VI

H Remstal, Steintorweg 2, 20099 HH, II-IV

H Renaissance Hamburg, Große Bleichen, 20354 HH, VI

H St. Georg, Kirchenallee 23, 20099 HH, III-IV

H Savoy, Steindamm 54-56, 20099 HH, IV-V

H Selig, Bremer Reihe 23, 20099 HH, III-IV

H Terminus, Steindamm 5, 20099 HH, III-IV

H Universum, Hansaplatz 3, 20099 HH, IV-V

H Vier Jahreszeiten, Neuer Jungfernstieg 9-14, 20354 HH, VI

H Village, Steindamm 4, 20099 HH, III-VI
H Wedina, Gurlittstr. 23, 20099 HH, III-VI
H Zentrum, Bremer Reihe 23, 20099 HH, III-IV
P Baur, Steindamm 23, 20099 HH, II-IV
P Huhn, Bremer Reihe 17, 20099 HH, II-III
P Petersen, Lange Reihe 50, 20099 HH, III-IV
P Schmidt, Holzdamm 14, 20099 HH, IV-V
P Wendland, Bremer Reihe 17, 20099 HH, II-III

Südlich der Alster

H Das Feuerschiff, City Spothafen vorsetzen, 20459 HH, V-VI
H Hafen Hamburg, Seewartenstr. 9, 20459 HH, V-VI
H MS Königstein, Überseebrücke, 20459 HH, V-VI
H Madison Hamburg, Schaarsteinweg 4, 20459 HH, VI
H Neptuno, Hafentor 3, 20459 HH, V-VI
H Residenz Hafen Hamburg, Seewartenstr. 7, 20459 HH, VI
H Seemannsheim Krayenkamp, Krayenkamp 5, 20459 HH, II-IV

Westlich der Alster

H Abtei, Abteistr. 14, 20149 HH, VI
H Am Holstenwall, Holstenwall 19, 20355 HH, VI

H Am Nonnenstieg, Nonnenstieg 11, 20149 HH, V-VI
H Am Rothenbaum, Rothenbaumchaussee 107, 20148 HH, V-VI
H Amsterdam, Moorweidenstr. 34, 20146 HH, V-VI
H Astron Suite Hotel Hambutg, Feldstr. 53-58, 20357 HH, VI
H Auto-Hotel Am Hafen, Spielbudenplatz 11, 20359 HH, III-V
H Auto-Parkhotel Hamburg, Lincolnstr. 8, 20359 HH, IV-V
H Beim Funk, Rothenbaumchaussee 138, 20149 HH, IV-VI
H Bellmoor, Moorweidenstr. 34, 20146 HH, IV-VI
H Boritzka, Schäferkampsallee 67, 20357 HH, III-VI
H Columbus, Detlev-Bremer-Str. 44, 20359 HH, III
H Commodore, Budapester Str. 20, 20359 HH, IV-VI
H Die Kogge, Bernhard-Nocht-Str. 59, 20359 HH, I-II
H Elite, Binderstr. 24, 20146 HH, III-V

H Elysee , Rothenbaumchaussee 10. 20148 HH, VI
H Eppendorfer Baum, Eppendorfer Baum 13, 20249 HH, III-VI
H Figaro, Neuer Kamp 21, 20359 HH, III
H Fresena, Moorweidenstr. 34, 20146 HH, V-VI
H Garden Hotels Pöseldorf, Magdalenenstr. 60, 20148 HH, VI
H Imperial, Millerntorplatz 3-5, 20359 HH, IV-VI
H Intercontinental Hamburg, Fontenay 10, 20354 HH, VI
H Inter-Rast, Reeperbahn 154, 20359 HH, III
H Norge, Schäferkampsallee 49, 20357 HH, VI
H Pacific, Neuer Pferdemarkt 30-31, 20359 HH, III-IV
H Pfeifer, Hallerstr. 2, 20146 HH, III-VI
H Preuß, Moorweidenstr. 34, 20146 HH, III-VI
H Rode, Moorweidenstr, 22, 20146 HH, V
H St. Annen, Annenstr. 5, 20359 HH, IV-VI
H Smolka, Isestr. 98, 20149 HH, VI
H Sophienterasse, Sophienterasse 10, 20149 HH, V-VI
H Sternschanze, Schanzenstr. 101, 20357 HH, III
H Vorbach, Johnsallee 63-67, 20146 HH, V-VI

H Wagner, Moorweidenstr. 34, 20146 HH, IV-VI
H Wernecke, Hartungstr. 7a, 20146 HH, III-IV

Östlich der Alster

H Ambassador, Heidenkampsweg 34, 20097 HH, V-VI
H Belmont, Schwanenwik 30, 22087 HH, IV-V
H Berlin, Borgfelder Str. 1-9, 20537 HH, VI
H Boulevard Hotel Hamburg, Hofweg 73, 22085 HH, V-VI
H Hanseatic, Sierichstr. 150, 22299 HH, VI
H Holiday Crowne Plaza, Graumannsweg 10, 22087 HH, VI
H Miramar, Armgartstr. 20, 22087 HH, V-VI
H Nippon Hotel Hamburg, Hofweg 75, 22085 HH, VI
H Alster-Ruh, Am Langenzug 6, 22085 HH, VI
H Rema-Hotel Meridian, Holsteinischer Kamp 59, 22081 HH, VI
H Schwanenwik, Schwanenwik 30, 22087 HH, III-VI
Hg York , Hofweg 19, 22085 HH, V-VI

Hamburg-West

H Blankenese, Schenefelder Landstr. 164, 22589 HH, IV-VI
H Cabo, Holstenstr. 119, 22767 HH, V-VI

H Central, Präsident-Krahn-Str. 15, 22765 Altona, IV-VI

H Commerz, Lobuschstr. 26, 22765 HH, IV-VI

H Helgoland Hamburg, Kieler Str. 173-177, 22525 HH, VI

H Holiday Inn Hamburg, Kieler Str. 333, 22525 HH, V-VI

H ibis Hamburg Altona, Königstr. 2, 22767 HH, VI

H InterCityHotel Hamburg, Paul-Nevermann-Platz 17, 22765 HH, V-VI

H Lafayette, Holstenstr. 3, 22767 HH, IV-VI

H Landhaus Flottbek, Barom-Voght-Str. 179, 22607 HH, VI

H Louis C. Jacob, Elbchaussee 401-403, 22609 HH, VI

M Motel Hamburg, Hoheluftchaussee 117-119, 20253 HH, V-VI

H Novotel Hamburg-West, Albert-Einstein-Ring 2, 22761 HH, VI

Hg Petersen, Godeffroystr. 40, 22587 HH, V-VI

H Best Western Raphael Hotel Altona, Präsident-Krahn-Str. 13, 22765 HH, V-VI

H Rema-Hotel Domicil, Stresemannstr. 62, 22769 HH, VI

H Rex, Kieler Str. 385, 22525 HH, III-V

H Schmidt, Reventlowstr. 60-62, 22605 HH, V-VI

H Stadt Altona, Louise-Schröder-Str. 29. 22767 HH, V-VI

H Stephan, Schmarjestr. 31, 22767 HH, V-VI

Hamburg Nord

H Airport Hamburg, Flughafenstr. 47, 22415 HH, VI

H Best Western Alsterkrug, Alsterkrugchaussee 277, 22297 HH, VI

H Am Stadtpark, Flüggestr. 6, 22303 HH, IV-VI

H Condi, Brillkamp 8-10, 22339 HH, IV-VI

H Dorint Hamburg Airport, Langenhorner Chaussee 183, 22415 HH, VI

H Engel, Niendorfer Str. 55-59, 22529 HH, VI

Hg Entrée Residence, Borsteler Chaussee 168, 22453 HH, V-VI

H Hadenfeldt, Friedhofsweg 15, 22337 HH, V-VI

Hg In de Döns , Am Hasenberge 29. 22335 HH, V-VI

H Jasmin, Heinrich-Traun-Str. 46, 22339 HH, V

Hg Kock's, Langenhorner Chaussee 79, 22415 HH, V-VI

H Landhaus Ohlstedt, Alte Dorfstr. 5, 22397 HH, IV-VI

H Mellingburger Schleuse, Mellingburgredder 1, 22395 HH, VI

H Novotel Hamburg-Nord, Oldesloer Str. 166, 22457 HH, V-VI

H Poppenbütteler Hof, Poppenbütteler Weg 236, 22399 HH, V-VI

H Queens Hotel Hamburg, Mexikoring 1, 22297 HH, VI

H Rosengarten, Poppenbüttler Landstr. 10b, 22391 HH, V-VI

H Schümann, Langenhorner Chaussee 159, 22415 HH, IV-VI

H Tomfort, Langenhorner Chaussee 579, 22419 HH, III-V

H Marriott Hotel Treudelberg, Lemsahler Landstr. 45, 22397 HH, VI

H Wiki, Lauensteinstr. 15, 22307 HH, V-VI

H Zum Wattenkorn, Tangstedter Landstr. 230, 22417 HH, III-V

Hamburg Ost

H Alt-Lohbrügger Hof, LeuschnerStr. 76. 21031 HH, V-VI

H Am Deich, Allermöher Werftstegel 3, 21037 HH, V

H Boberger Höhe, Lohbrügger Landstr. 168, 21031 HH, IV-VI

H Böttcherhof, Wöhlerstr. 2, 22113 HH, V-VI

H Inter, Halskestr. 72, 22113 HH, III-VI

H Elbbrücken, Billhorner Mühlenweg 28, 20539 HH, V

H Forum Hotel Hamburg, Billwerder Neuer Deich 14, 20539 HH, VI

H Hamburg International, Hammer Landstr. 200, 20537 HH, IV-VI

H Hameister, Rahlstedter Str. 189, 22143 HH, III

H Heckkaten, Kampchaussee 114, 21033 HH, III-VI

H ibis Hotel Hamburg-Wandsbek, Wandsbeker Zollstr. 25-29, 22041 HH, IV-VI

H Kröger, Ahrensburger Str. 107-109, 22045 HH, VI

H Meiendorfer Park, Meiendorfer Str. 101, 22145 HH, IV-V

H Panorama Billstedt, Billstedter Haupstr. 44, 22111 HH, VI

H Sachsentor, Bergedorfer Schlossstr. 10, 21029 HH, V-VI

H Tiefenthal, Wandsbeker Marktstr. 109, 22041 HH, III-V

H Treff Hotel Hamburg, Holzhude 2, 21029 HH, V-VI

H Vierlanden Tor, Curslacker Deich 375, 21039 HH, III-V

H Zum Studio, Sonnenweg 27, 22045 HH, V-VI

Hamburg-Süd

H Altenwerder Hof, Kleinfeld 16, 21149 HH, V-VI

Hg Am Elbufer, Focksweg, 40a, 21129 HH, VI

H Berghotel Sennhütte, Wulmsberg 12, 21149 HH, V

H Ryan Carat, Sieldeich 5-7, 20539 HH, IV-VI

H Le Méridien, Stillhorner Weg 40, 21109 HH, V-VI

H Hagemann, Vogelhüttendeich 87, 21107 HH, III-V

H Lindtner Hamburg, Heimfeldter Str. 123, 21075 HH, VI

H Maassen, Vogelhüttendeich 73, 21107 HH, III-V

H Majestätische Aussicht, Ehestorfer Weg 215, 21075 HH, IV-V

H Panorama Harburg, Harburger Ring 8-10, 21073 HH, VI

92 Hg Scheideholzer Hof, Bauernweide 11, 21149

HH, V-VI

P Haus Süderdeich, Süderdeich 166, 21129 HH, I-II

Jugendherbergen und Campingplätze

🏠 Jugendherberge auf dem Stintfang, Alfred-Wegener-Weg 5, ☎ 313488

🏠 Jugendgästehaus Hamburg, Horner Rennbahn, Rennbahnstr. 100, ☎ 651 16 71

⛺ Campingplatz Schnelsen-Nord, Wunderbrunnen 2, ☎ 559 42 25

⛺ City Camp Tourist, Kiler Str. 650, ☎ 704498

⛺ Campingplatz Buchholz, Kieler Str. 374, ☎ 540 45 32

Ahrensburg

PLZ: 22926; Vorwahl: 04102

H Am Schloss, Am Alten Markt 17, III-VI

H Ahrensburg, Ahrensfelder Weg 48-50, V-VI

Wedel

PLZ: 22880; Vorwahl: 04103

🛈 **Tourismus- und Gewerbeverein**, Rathausplatz 3-5, ☎ 707707

H Diamant, Schulstr. 2-4, ☎ 702600, V-VI

H Freihof am Roland, Am Marktplatz 6-8, 128-0, V-VI

H Kreuzer, Rissener Str. 195, ☎ 127-0, V-VI

H Wedel, Pinneberger Str. 69, ☎ 9136-0, V-VI

H Senator Marina, Hafenstr. 28, ☎ 80770

Scholenfleth-Haseldorf

PLZ: 25489: Vorwahl: 04129

H Freudenthal's Gasthof, Scholenfleth 1, ☎ 255

Haselau

PLZ: 25489: Vorwahl: 04129

🛈 **Tourismus i.d. Marsch e.V.**, Oberrecht 7b, 25436 Neuendeich, ☎ 04122/901460

H Haselauer Landhaus, Dorfstr. 10, ☎ 9871-0

Heist

PLZ: 25492: Vorwahl: 04122

🛈 **Tourismus i.d. Marsch e.V.**, Oberrecht 7b, 25436 Neuendeich, ☎ 04122/901460

H Holsteiner Hof, Großer Ring 51, ☎ 81121

H Lindenhof, Gr. Ring 7, ☎ 81361

H Deutsches Haus, Hauptstr. 49, ☎ 81242

Uetersen

PLZ: 25436: Vorwahl: 04122

🛈 **Stadt Uetersen**, Wassermühlenstr. 7, ☎ 714216

H im Rosarium, Berliner Str. 10, ☎ 92180, IV-V

H Mühlenpark, Mühlenstr. 49, ☎ 9255-0, VI

H Deutsches Haus, Kirchenstr. 24, ☎ 92820, IV-V

H Am Rathaus, Am Markt 7, ☎ 92510, V-VI

Elmshorn

PLZ: 25335; Vorwahl: 04121

🛈 **Stadtmarketing**, Königstr. 17, ☎ 266074

PLZ: 25337

H Sportlife, Hamburger Str. 205, ☎ 4070, V

P Jens, Langelohe 73, ☎ 72334, III

PLZ: 25335

H Royal, Lönsweg 5, ☎ 42640, V

H Drei Kronen, Gärtnerstr. 92, ☎ 42190, IV

H Im Winkel, Langenmoor 41, ☎ 84328, III

H Ambiente, Mühlenstr. 13, ☎ 83620

H Weinrestaurant Stedtnitz, Mühlenstr. 15, ☎ 817-01, V

H Koch, Norderstr. 4, ☎ 3171, III

P Reiterhof Dose, Fuchsberger Allee 18, ☎ 840528, II-III

Kollmar

PLZ: 25377; Vorwahl: 04128

Gh Fährhaus Kollmar, ☎ 97910

Pz Rebhan 6 Peter, Am Deich 42, ☎ 543, II

Pz Stockfleth-Hehnke, Große Kirchreihe 28, ☎ 465 o. 94688, II

⛺ Campingplatz Elbdeich-Camping Kollmar, Johann von Drahten, Kleine Kirchreihe 22,

✆ 1379 o. 300, auch Wohnen im Wohnwagen, 01.04.-31.10.

Bielenberg
PLZ: 25377; Vorwahl: 04128

H Zum Elbblick, Bielenberg 18, Kollmar-Bielenberg, ✆ 1376, IV-V

Glückstadt
PLZ: 25348; Vorwahl: 04124

🛈 **Tourist-Information Glückstadt**, Große Nübelstr. 31, ✆ 937585.

H Raumann, Am Markt 5/6, ✆ 91690, IV

H Tiessen Holsteiner Hof, Kleine Kremper Str. 18, ✆ 919910, IV-V

P Am Hafen 19, Ingrid Weisker, Am Hafen 19, ✆ 4906, III-IV

Pz Dittmer, Bgm.-Schinkel-Str. 22, ✆ 1429, I

Pz Gehring, Rallenstieg 17, ✆ 2760, II

Pz Gwiasda, Frijagang 4, ✆ 81124, I

Pz Harder, An der Chaussee 11, ✆ 1689, II

P Klingbeil, Am Markt 7, ✆ 7979, III

Pz Kuhlmanns Alter Speicher, Am Hafen 1, ✆ 3037, II

Pz Naber, Bohntr. 5, ✆ 7368, II

Pz Rehfeldt, Große Deichstr. 27, ✆ 4931, II

🏚 Jugendherb. Glückstadt, Pentzstr. 12, ✆ 2259

Wewelsfleth
PLZ 25599; Vorwahl: 04829

🛈 Amt Wilstermarsch, Kohlmarkt 25, ✆ 04823/9482-0

H Zur Störmündung, Ivenfleth 6, Borsfleth, ✆ 89141, II

Gh Lüders, Humstordorf 15, ✆ 1801, II

Pz Bender, Großwisch 13, ✆ 9298, II

Pz Krey, Hollerwettern 5, ✆ 364, II

Brokdorf
PLZ: 25576; Vorwahl: 04829

🛈 Amt Wilstermarsch, Kohlmarkt 25, ✆ 04823/9482-0

H Sell Elbblick, Dorfstr. 65, ✆ 900-0, III

St. Margarethen
PLZ: 25572; Vorwahl: 04858

H Gästehaus am Deich, Dorfstr. 21, ✆ 1060, II

Pz Rogkensack, Heideducht 8, ✆ 583, II

Pz Lentfer, Bahnhofstr. 3, ✆ 237, I o. Frühstück

Heuherberge u. Fahrradraststation Rösch, Wetterndorf 9, ✆ 481, I

Büttel
PLZ: 25572; Vorwahl: 04858

Gh Dorfkrug Büttel, Hauptstr. 5, ✆ 1070, II

Brunsbüttel
PLZ: 25541; Vorwahl: 04852

🛈 **Tourist-Info**, Markt 4, ✆ 9177 o. **Touristikzentrale Dithmarschen e.V.**, Alleestr. 12, Büsum, ✆ 04834/90010

H Zur Traube, Markt 9, ✆ 5461-0, IV-V

Gh Altvater, Westerbütteler Str. 15, ✆ 1332, III

🛖 Campingplatz Am Elbdeich, ✆ 6870, 01.04.-31.10.

Neufeld
PLZ: 25724

Touristikzentrale Dithmarschen e.V., Alleestr. 12, Büsum, ✆ 04834/90010

Pz Griesbach, Schmedeswurter-Westerdeich 9, ✆ 1843, I

Marne
PLZ: 25709; Vorwahl: 04856

Touristikzentrale Dithmarschen e.V., Alleestr. 12, Büsum, ✆ 04834/90010

Pz Johannßen, Olmühlenweeg 1, ✆ 582, I

Friedrichskoog
PLZ: 25718; Vorwahl: 04854

Touristikzentrale Dithmarschen e.V., Alleestr. 12, Büsum, ✆ 04834/90010

Hg Friesenhof, Altfelder Weg 16, ✆ 1044, III

🏚 Schullandheim, Franzosensand 2, ✆ 902-0, 20.01.-01.12.

🛖 Swienskoop, ✆ 854

Friedrichskoog Spitze:
H Moeven-Kieker, Strandweg 6, ✆ 9040-0, IV-V

St. Michaelisdonn-Eddelak
PLZ: 25693; Vorwahl: 04853

🛈 **Bahnhofs-Reisebüro**, Bahnhofsstr. 26, ✆ 807210

H Landhaus Gardels, Westerstr. 15-19, ✆ 8030, VI 🚲

H Holsteiner Haus, Johannßenstr. 15, ✆ 336, III-VI

Pz Jürgens, Marner Str. 40, ✆ 739, II

Pz Kraft, Feldrain 20, ✆ 965, I

Pz Stapel, Norderende 16, ✆ 1051, I

🏚 Kreisjugendheim "Haus am Klev", Am Sportplatz 1, ✆ 923, ganzjährig

Hopen:
Pz Hennings, Hopen 9, ✆ 497, I-II

Barlt
PLZ: 25719; Vorwahl: 04857

Gh Harmonie, Dorfstr., ✆ 371

Pz Magens, Schulstr., ✆ 398

Gudendorf

PLZ: 25704; Vorwahl: 04832

Pz Weidener, Fliederweg 2, ✆ 512, II

Elpersbüttel

PLZ: 25704; Vorwahl: 04832

Gh Zum Waldblick, Elpersbüttelerdonn 30, ✆ 225, II

Meldorf

PLZ: 25704; Vorwahl: 04832

🛈 **Fremdenverkehrsverein**, Nordermarkt 10, ✆ 7045

H Dithmarscher Bucht, Helgolandstr. 2, ✆ 7123, IV

H Zur Linde, Südermarkt 1, ✆ 9595-0, IV

Pz Hauke, Weiderbaum 21, ✆ 8173, II

Pz Marienfeld, Feldweg 2, ✆ 1353, II

Pz Schulz, Husumer Str. 1, ✆ 2594, II

▲ Camping Strandvogt, Nordermeldorf, Stinteck 4, ✆ 3222, 01.04.-31.10.

Bargenstedt:

Pz Hartmann, Dorfstr. 13, ✆ 1775, I

Pz Rohde, Dorfstr. 11, ✆ 1471, II

Epenwöhrden:

Pz Behnke, Lindenstr. 5, ✆ 1747, II

Pz Maaßen, Hauptstr. 27, ✆ 2110, II

Warwerort

PLZ: 25761; Vorwahl: 04934

Touristikzentrale Dithmarschen e.V., Alleestr. 12, Büsum, ✆ 90010

H Weißes Haus, Dorfstr. 32, ✆ 04823/2204, III-V

Pz Sievers, Kronenberg 26, ✆ 2848, I

Pz Freitag, Mühlenweg 4, ✆ 3211, I

▲ Campingplatz Seeschwalbe, ✆ 8438

Büsumer Deichhausen

PLZ: 25761; Vorwahl: 04834

Touristikzentrale Dithmarschen e.V., Alleestr. 12, Büsum, ✆ 04834/90010

H Deichgraf, Achtern Diek 24, ✆ 2271, III-IV

P Dreyer, To Wurth 1, ✆ 1841, III

Pz Möller, Wasserholm 1, ✆ 8354

Büsum

PLZ: 25761; Vorwahl: 04834

🛈 **Kurverwaltung**, Postfach 1154, ✆ 909-107 o. **Touristikzentrale Dithmarschen e.V.**, Alleestr. 12, Büsum, ✆ 04834/90010

H Am Kamin, Strandstr. 5, ✆ 8239, III

H Benen Diken, Große Tiefe 7, ✆ 9850, V

H Büsum, Blauort 16-18, ✆ 60140, IV-V

H Die Muschel, Hohenzollernstr. 20, ✆ 96110, V

H Friesenhof, Nordseestr. 66, ✆ 2095, V-VI

H Hauschild, Norderpiep 6, ✆ 9710, IV-V, teilw. Nichtraucher- u. Allergikerzimmer

H Hohenzollern-Strandhotel, Strandstr. 2, ✆ 9950, V

H Dorn, Deichstr. 15, ✆ 6030, IV-V

H Meereskönig, Holstenstr. 6-8, ✆ 9880, IV

H Morgensonne, Johannsenallee 31/33, ✆ 968-0, V

H Nordseehalle, Am Hafen 2, ✆ 2488, IV-V

H Pick, Dithmarscher Str. 28, ✆ 8664, III

H Stadt Hamburg, Kirchstr. 11, ✆ 2085, III-IV

H Tertius, Strandstr. 27, ✆ 9690, IV

H Tum Stüürmann, Hafenstr. 13-15, ✆ 8382, III

H Windjammer, Dithmarscher Str. 17, ✆ 6661, V

H Zur alten Post, Hafen-str. 2-3, ✆ 2392, IV-V

Hg Achtern Diek, Regenpfeiferweg 8, ✆ 8315, III

Hg Albatros, Blauort 9-11, ✆ 95000, IV

Hg Alte Apotheke, Hafenstr. 10-12, ✆ 2046, V

Hg Hedde, Tertius Törn 28, ✆ 981-0, III

Hg Kolle's alter Muschelsaal, Tertius Törn 23, ✆ 2440, III

Hg Nordlicht, Friedrich-Paulsen-Str. 44, ✆ 18652, III

Hg Seegarten, Strandstr. 3, ✆ 6020, V-VI

Hg Seeluft, Krabbengrund 6, ✆ 9700, III

Hg Seestern, Am Hafen 4, ✆ 903-0, IV

Hg Siegfried, Johannsenallee 26, ✆ 2369, III-IV

P Abendsonne, Bismarckstr. 5, ✆ 93067, III

P Alice, Regenpfeiferweg 2, ✆ 2200, III

P Stabenow, Norderpiep 28, ✆ 93285, III

P Awiszus, Regenpfeiferweg 10, ✆ 2303, I-III

P Blauort, Blauort 3, ✆ 3440, III

P Carina, Friedrichstr. 6, ✆ 2473, III

P Christen, Tertius Törn 26, ✆ 1014, III

P Danzig, Norderpiep 3, ✆ 8701, III

P Nordseekrabbe, Friedrich-Paulsen-Str. 14, ✆ 8261, II

P Nis Puk, Gartenstr. 1, ✆ 703, III

P Uta, Kattegat 4, ✆ 981-0, II

P Helgoland, Deichhausener Str. 2-4, ✆ 2218, II

P Jürgens-Kolls, Neuer Weg 17, ✆ 3255, II-III

P Kock, Hohenzollernstr. 1, ✆ 2621, III

P Martens, Hans-Reiher-Str. 3, ✆ 2588, II-III

P Witte Mus, Süderpiep 6, ✆ 8263, II

P Schlichting, Friedrichstr. 16, ✆ 2370, II-III

P Wald, Hinter der Deichstr. 5, ✆ 2659, II

Pz Elsen, Mittelstr. 1, ☎ 2428, I-II, Nichtraucher

Pz Fritz, Johannsenallee 20, ☎ 3837, II

Pz Glismann, Am Oland 13, ☎ 3180, II

Pz Hornbostel, Deichhausener Str. 51, ☎ 6759, II

Pz Kohnert, Deichstr. 27, ☎ 2428, II

Pz Lenz, Deichhausener Str. 10a, ☎ 3197, II

Pz Masuch, Danziger Str. 12, ☎ 2472, I

Pz Meyer, Regenpfeiferweg 4, ☎ 3530, I

Pz Möller, Groven 7, ☎ 2766, I

Pz Müller, Große Tiefe 19, ☎ 3363, II

Pz Ott, Agnes-Miegel-Str. 1, ☎ 8562, I

Pz Villa Kunterbunt, Wilhelm-Külper-Str. 5, ☎ 1738, II

Pz Schröder, F.-Paulsen-Str. 46/48, ☎ 2406, II

Pz Werwoll, Regenpfeiferweg 1, ☎ 8200, II

Pz Witt, Deichhausener Str. 40, ☎ 1653, II

⛺ Camping Nordsee, Nordseestr. 90, ☎ 2515, 01.03.-31.10.

⛺ Campingplatz zur Perle, Nordseestr. 80, ☎ 60137, Mitte März - Ende Okt.

Westerdeichstrich

PLZ: 25761; Vorwahl: 04834

Touristikzentrale Dithmarschen e.V., Alleestr. 12, Büsum, ☎ 04834/90010

P Nordseeluft, ☎ 1552, II

Pz Zur alten Schmiede, Dorfstr. 45, ☎ 937861, II

⛺ Campingplatz an de Waterkant, ☎ 8556, 01.04.-31.10.

⛺ Campingplatz Im Lee, Stinteck 37, ☎ 8197, 01.04.-15.10.

⛺ Campingplatz Nordseeburg, ☎ 8128

⛺ Campingplatz Am Friesenhaus, Wulfenweg 12, ☎ 1401

Hedwigenkoog

PLZ: 25761; Vorwahl: 04834

P "Glück auf", Koogchaussee 12, ☎ 04833/1018, II

Pz Wisch, Koogchaussee 31, ☎ 04833/631, I

Reinsbüttel

PLZ: 25764; Vorwahl: 04833

Pz Kahlcke, Horstweg 11, ☎ 516, II

Wesselburen

PLZ: 25764; Vorwahl: 04833

🛈 Fremdenverkehrsverein Wesselburen und Umland e.V., Südstr. 49, ☎ 4101

H& ⛺ Seeluft, Neuenkirchener Weg 1, ☎ 765, III

Pz Klein, Krankenhausweg 26, ☎ 2482, II

Pz Meier, Eiderstedter Str. 9, II

Schülp:

Pz Friccius, Hauptstr. 16, ☎ 2223, II

Pz Groth, Mittelstr. 5, ☎ 1829, II

Wesselburenerkoog:

§c Nordseedeich 2000, ☎ 1441

Norddeich

PLZ: 25764; Vorwahl: 04833

Pz Prochnow, Mühlenstr. 17, ☎ 3849, II

Pz Wittke, An der Wurth 17, ☎ 2294, II

Heringsand

PLZ: 25764

P Haus am Watt, Herings.Str. 4, ☎ 04833/1811, II

Tönning

PLZ: 25832; Vorwahl: 04861

🛈 **Tourist- u. Freizeitbetriebe**, Am Markt 1, ☎ 61420

H Fernsicht, Auf dem Badestrand, ☎ 475, III

H Miramar, Westerstr. 21, ☎ 9090, ab V

H Landschaftliches Haus, Schleusenstr. 17, ☎ 96550, III

H Nordfriesland, Westerstr. 24, ☎ 318, ab IV

H Zum goldenen Anker, Am Hafen 31 + 32, ☎ 218, ab IV

H Godewind, Am Hafen 23, ☎ 6600, V

H Lexow, Am Hafen 37/38, ☎ 96080, IV-V

H Eiderkrog, Olversumer Str. 16, ☎ 400, II

P Haus Elsie, Bgm.-Sammann-Str. 16, ☎ 5621, II

P Gästehaus Gudrun, Swinemünder Str. 3, ☎ 1008, II

P Zum Wikinger, Wikinger Str. 10, ☎ 343, II

P Hus Tönn, Utholmer Str. 28, ☎ 5456, II

P Klabautermann, Utholmer Str. 26, ☎ 5865, II 🚭

Pz Boysen, Utholmer Str. 24, ☎ 5221, I

Pz Carstens, Martje-Flohrs-Str. 2, ☎ 1351, I

Pz Reimers, Lehnsmann-Siercks-Str. 7, ☎ 5117, II

Pz Pohlmann, Waldweg 7, ☎ 1381, I

Pz Bodenhagen, Neuweg 26, ☎ 454, II 🚭

Pz Haus Wildrose, Utholmer Str. 21, ☎ 6210, I 🚭

Pz Kock, Am Löwenhof 3, ☎ 5392, II 🚭

Pz Küssner, Toftinger Str. 6, ☎ 5376, I o. Frühstück 🚭

⛺ Camping Eiderblick, am Badestrand, ☎ 1569, ganzjährig geöffnet

⛺ Camping Lilienhof, Katinger Landstr., ☎ 439, **95**

ganzjährig geöffnet

⌂ Jugendherberge, Badallee 28, ✆ 1280, ganzjährig geöffnet

Oldenswort-Hemmerdeich

PLZ: 25832; Vorwahl: 04861

Pz Hemmerdeich, ✆ 1422, I

Welt-Vollerwiek

PLZ: 25836; Vorwahl: 04862

H Möllner Hof, Dorfstr. 3, Welt, ✆ 10770, IV

H Zum Wattenläuper, Altendeich 6, Vollerwiek, ✆ 17346, II

H Landhaus Wiesengrund, Dorfstr. 5, Welt, ✆ 17434, III

Pz Peter, Dorfstr. 1, Vollerwiek, ✆ 8061, II

St.Peter-Ording

PLZ: 25826; Vorwahl: 04863

ℹ **Kurverwaltung**, ✆ 999-0

H Ordinger Hof, Am Deich 31, ✆ 908-0, V

H Fernsicht, Am Kurbad 17, ✆ 2022, V-VI

H Seeburg, Blanker-Hans-Weg 6, ✆ 9600-0, V-VI

H Vier Jahreszeiten, Friedrich-Hebbel-Str. 2, ✆ 701-0, VI

H Landhaus Idel, Friesenstr. 5, ✆ 96950, V-VI

H Ambassador International, Im Bad 26, ✆ 7090, VI

H Rungholt-Stuben - Casa Bianca, Im Bad 61, ✆ 1555, IV-V

H Eulenhof, Im Bad 93-95, ✆ 9655-0, V-VI

H Euro Ring, Rungholtstiege 7, ✆ 9040, III-VI

H Kölfhamm, Kölfhamm 6, ✆ 9950, V-VI

H Park Hotel, Strandläuferweg 11, ✆ 2003, VI

H Cafe Rasmus, Strandpromenade 1, ✆ 971-0, III-V

H Waldesruh, Waldstr. 11, ✆ 2056, V-VI

H Eickstädt, Waldstr. 19, ✆ 2058, IV-V

Hg Friesenhof, Im Bad 58, ✆ 9686-0, V-VI

Hg Landhaus an de Dün, Im Bad 63, ✆ 96060, VI

Hg Stahlbock, Im Bad 8, ✆ 9650-0, V

H St. Peter-Ording, Im Bad 16, ✆ 9696-0, IV-V

Hg Silvana, Im Bad 43, ✆ 9677-0, IV

Hg Tannenhof, Im Bad 59, ✆ 7040, V

Hg Schragen, Im Bad 71, ✆ 2250, IV

Hg Christiana, Im Bad 79, ✆ 9020, V

Hg Twilling, Strandweg 10, ✆ 9663-0, V

P Haus Mö, Im Bad 66, ✆ 2102, III

P Seeblick, Im Bad 67, ✆ 2271, IV

P Zum Wikinger, Im Bad 68, ✆ 8241, III-IV

P Hever, Im Bad 89, ✆ 1282, III

P Sonneck, Strandpromenade 9, ✆ 2275, V

P Heimattreue, Strandweg 11, ✆ 2243, IV

P Deichkater, Westmarken 45, ✆ 7103, IV-V

P Sattlerhof, Wittendüner Allee 61, ✆ 4117, II

P Dünenschloß, Zum Südstrand 14, ✆ 2265, III-IV

P Richardsen, Drift 12, ✆ 2395, II

P Haus Erichsen, Feldstr. 14, ✆ 2168, III

P Hus Mattgoot, Heideweg 25, ✆ 3219, III

P Fortuna, Im Bad 21, ✆ 2224, III

P Pük Deel, Immenseeweg 2, ✆ 3616, IV-V

P Nackhörn, Kirchenstr. 16, ✆ 2646, III-IV

P Zum alten Anker, Norderdeich 10-13, ✆ 1341, II-III

P Plog, Pestalozzistr. 43, ✆ 3224, III

P Godewind, Waldstr. 31, ✆ 9690-0, V

Pz Krebs, Böhler Landstr. 117, ✆ 3359, II

Pz Nanke, Böhler Weg 4, ✆ 3572, II

Pz Eckhof, Marneweg 1, ✆ 5292, II

Pz Hus in Grön, Bövergeest, 8, ✆ 8174, II

Pz Elisabeth Thomas, Fasanenweg 29, ✆ 2017, II-III

Pz Kuhls, Op de Diek 15, ✆ 3680, II-III

Pz Haus Elke, Am Deich 13, ✆ 1310, II

Pz Haus Helga, Westmarken 5, ✆ 8008, II

Bh Voß, Neuweg 4, ✆ 2173, I-II

⛺ Campingplatz Rönkendorf, Böhler Landstr. 171, ✆ 5195

⛺ Campingplatz Silbermöwe, Böhler Landstr. 179, ✆ 5556

⛺ Rosen-Camp, Böhler Landstr. 185, ✆ 3676

⛺ Campingplatz Saß, Grudeweg 1, ✆ 8171

⛺ Campingplatz Schulz, Grudeweg 2, ✆ 2770

⛺ Campingplatz Biehl, Utholmer Str. 1, ✆ 9601-0

Westerhever

PLZ: 25881; Vorwahl: 04865

Gh Kirchspielkrug Westerhever, ✆ 352, III-IV

P Hans Wiese, Westerhever Str. 23, ✆ 390, II

Bh Jans, Dorfstr. 11, ✆ 254, I

Tating

PLZ: 25881

Gh Ketels, Dorfstr. 42, ✆ 04862/102323, II

Pz Carstens, Tholendorferstr. 2, ✆ 04863/2405, II

Garding

PLZ: 25836; Vorwahl: 04862

ℹ **Informationsbüro**, Am Markt 26, ✆ 469

H Gardinger Hof, Süderstr. 52, ✆ 257, IV

H Europa, Am Markt 21, ✆ 102353, II-IV

Pz Geertsen, Tatinger Str. 92, ✆ 762, I

Pz Hems, Sandwehle 3, ☎ 683, I

Oldenswort

PLZ: 25870; Vorwahl: 04864

H Friesenhof, Dorfstr. 25, ☎ 10255, III

Witzwort

PLZ: 25889; Vorwahl: 04864

Pz Jessen, Süderohrfelderweg, ☎ 1420, I

Pz Knutz, Reimersbude 8, ☎ 439, I

Pz Reiche, Geschw.-L.-Weg 11, ☎ 1350, I

Simonsberg

PLZ: 25813; Vorwahl: 04841

🛈 **Tourist-Information**, Großstr. 27, ☎ 04841/8987-0

H Lundenbergsand, Lundenbergweg 3, ☎ 8393-0, V-VI

Pz Otzen, Hauptstr. 24, ☎ 64225, ab II

⛺ Nordseecamping "Zum Seehund", Lundenbergweg 4, ☎ 3999

Husum

PLZ: 25813; Vorwahl: 04841

🛈 **Tourist-Information**, Großstr. 27, ☎ 8987-0

H Altes Gymnasium, Süderstr. 6, ☎ 8330, VI

H Am Schloßpark, Hinter der Neustadt 76-86, ☎ 2022-24, V

H Hinrichsen, Süderstr. 35, ☎ 8907-0, IV

H Nordseehotel, Dockkoog, ☎ 5021-22, V

H Osterkrug, Osterende 56, ☎ 2885, IV-V

H Rödekrog, Wilhelmstr. 10, ☎ 3771, II

H Rosenburg, Schleswiger Chaussee 65, ☎ 9605-0, IV-V

H Schumann, Neustadt 99, ☎ 2247, III

H Theodor Storm, Neustadt 60-68, ☎ 8966-0, VI

H Thomas, Zingel 9, ☎ 6087, V-VI

H Windrose, Hafenstr. 3, ☎ 8982-0, ab IV

H Wohlert, Markt 30, ☎ 2229, III

H Zur grauen Stadt am Meer, Schiffbrücke 8-9, ☎ 89320, IV

Gh Petersen, Sergeantenweg 4, ☎ 96070, ab III

Gh Clausen, Rosenburger Weg 1, ☎ 73824, ab III

Pz Behrens, An der Aue 34, ☎ 71876, ab II

Pz Bergmann, Ginsterweg 16, ☎ 1381, ab I

Pz Dethlefs-Polder, Am Fischerhaus 3, ☎ 62117, I

Pz Feuerherm, Lindenweg 12, ☎ 72390, ab I

Pz Hiegl, Rungholtstr. 13, ☎ 75240, II

Pz Kohrt, Wasserreihe 11, ☎ 61154, I-II

Pz Krüger, Stadtweg 2b, ☎ 65772, II

Pz Möller, Wilhelmstr. 51a, ☎ 81161, I-II

Pz Pauseback, Matthias-Claudius-Str. 25, ☎ 2878, I-II

Pz Peters, Schobüller Str. 43, ☎ 2619, I-II

Pz Petersen, Tannenweg 12, ☎ 1489, I-II

Pz Steffensen, Treibweg 37, ☎ 2108, II

⛺ Campingplatz Dockkoog, Dockkoog 17, ☎ 61911

🏠 Theodor-Storm-Jugendherberge, Schobüller Str. 34, ☎ 2714, ganzjährig geöffnet

Mildstedt

PLZ: 25866; Vorwahl: 04841

Pz Petersen, Westerreihe 36, ☎ 1407, I

Hockensbüll

PLZ: 25875; Vorwahl: 04841

Pz Willers, Grüner Weg 5, ☎ 61507, I-II

Schobüll

PLZ: 25875; Vorwahl: 04846

🛈 **Tourist-Information**, Großstr. 27, ☎ 04841/8987-0

Pz Empen, Altendorfer Str. 5, ☎ 6680, II

⛺ Campingplatz Seeblick, Nordseestr. 39, ☎ 04841/3321

Halebüll

PLZ: 25875; Vorwahl: 04846

Pz Diercks, Halebüller Weg 13, ☎ 528, I

Pz Haus am Watt, Krummland 3, ☎ 380, II

Pz Metzner, Strandweg 8, ☎ 336, II

Wobbenbüll

PLZ: 25856; Vorwahl: 04846

🛈 **Tourist-Information**, Großstr. 27, ☎ 04841/8987-0

Pz Ingwersen, Herrweg 73, ☎ 298, I

Hattstedter Marsch:

H Arlauschleuse, Hattstedter Marsch 43, ☎ 69900, V

Pz Brodersen, Herstum 60, Hattstedtermarsch, ☎ 6761, II

Pz Danielsen, An der Arlau 77, ☎ 202, I

Nordstrand

PLZ: 25845; Vorwahl: 04842

🛈 **Kurverwaltung**, Schulweg 4, ☎ 454

H Am Heverstrom, Heverweg 14, ☎ 8000, III-IV

H England, England 46, ☎ 1075, III

H Kelting, Herrendeich 6-10, ☎ 335, IV

Hg Christiansen, Am Ehrenmal 10, ☎ 8212, III-IV

H Morsum, Morsumkoogstr. 3, ☎ 1025, II-IV

P Deichblick, Moordeich 1, ☎ 624, II

P Kiefhuck, Kiefhuck 4, ☎ 327, II-III

P Kühlmann-Seiler, Heverweg 20, ☎ 234, II

Pz Bütter, Osterdeich 34, ℰ 8450

Pz Schorer, Neuer Weg 3, ℰ 8112

Pz Jacobs, Osterkoogstr. 16, ℰ 8376, I

Pz Kruse, Osterkoogstr. 63, ℰ 8509, I-II

Pz Haus Katharina, Evensbüller Chaussee 10, ℰ 406, I

Pz Mölck, Kiefhuck 9, ℰ 8240, II

Pz Püttenwarft, Püttenweg 4, ℰ 04841/4952, II-III

Pz Reinhold. Beltring 21, ℰ 8026, I-II

Pz Sönksen, Gaikebüll 33, ℰ 8253, I

Bh Hansen, Tegelistraat 5, ℰ 345, I

⚑ Campingplatz Elisabeth-Sophien-Koog, ℰ 8534, 01.04.-31.10.

⚑ Campingplatz Margarethenruh, ℰ 8553, 31.03.-31.10.

Pellworm

PLZ: 25849; Vorwahl: 04844

🛈 Kurverwaltung/Zimmervermittlung, Uthlandestr. 2, ℰ 18940

H Friesenhaus, Kaydeich, ℰ 9040

P Kiek ut, Hooger Fähre, ℰ 9090

P Meeresfrieden, Süderkoogsweg, ℰ 472 u. 470

Pz Edlefsen, Parlament 12, ℰ 446

Pz Jacobsen, Tammensiel 28, ℰ 353

Pz Jensen, Waldhusen 6, ℰ 745

Pz Nickelsen, Liliencronweg 23, ℰ 614

Pz Petersen, Untjehörnweg 5, ℰ 467

Fw Clausen, Bupheverweg 11, ℰ 591

Fw Ende, Nordermitteldeich 71, ℰ 1439

Fw Frener, Grüner Deich 5, ℰ 622

Fw Getzkow, Bupheverweg 9, ℰ 562

Fw Jensen, Westertilli, ℰ 399

Fw Jensen, Nordermitteldeich 65, ℰ 447

Fw Klauske-Kolb, Südermitteldeich 21, ℰ 453

Fw Knudsen, Kaydeich 14, ℰ 677

Fw Köster, Waldhusen 9, ℰ 290

Fw Liebe, Alte Kirche 4, ℰ 415

Fw Lucht, Sluutweg 2, ℰ 602

Fw Lucht, Kaydeich 6, ℰ 357

Fw Meyer, Schardeich 5, ℰ 364

Fw Nommsen, Tammwarftweg 2, ℰ 293

Fw Pauly, Tammwarft 2, ℰ 543

Fw Petersen, Westerschütting 4, ℰ 438

Fw Petersen, Tammwarft 6, ℰ 1597 o. 542

Fw Schröer, Tammensiel23, ℰ 1333 o. 1249

Fw Teweleit, Süderwisch 6, ℰ 740 o. 728

Fw Wöhl, Tüterland 2, ℰ 239

Fw Wünsch, Norderhaffdeich 6, ℰ 1340

Fw Zetl, Ütermarkerweg 11, ℰ 230

Bredstedt

PLZ: 25821; Vorwahl: 04671

🛈 Fremdenverkehrsverein, Rathaus, ℰ 5857

H Friesenhalle, Hohle Gasse 2, ℰ 1521

H Lüth, Bahnhofstr. 1-7, ℰ 91220

Breklum:

H Dravendahl, Drelsdorfer Str. 13, ℰ 3036

H Friesenstern, Bachweg 4, ℰ 6341

Bordelum:

PLZ: 25852

H Landhaus Sterdebüll, Bäderstr. 90, ℰ 9110-0, IV-V

Pz Dumke, Am Schwimmbad 2, ℰ 1819, I

Pz Petersen, Dorfstr. 47, ℰ 4690, I

Pz Nissen, Rademacher Weg 9, ℰ 858, I-II

Pz Sterdebüllhof, Süderweg 20, ℰ 2503, I

Reußenköge

PLZ: 25821

H Hoolstill, Sph.-Magdl.-Koog 26, ℰ 3395, I-II

Pz Petersen, Cecilienkoog 16, ℰ 3337, I-II

Ockholm

PLZ: 25842; Vorwahl: 04674

Pz Petersen, Große Gaarde 3, ℰ 254, I

Dagebüll

PLZ: 25899; Vorwahl: 04667

🛈 Touristinformation/Zimmervermittlung, Am Badedeich 1, ℰ 353 u. 95000

H Strandhotel Dagebüll, ℰ 212, IV

H Neuwarft, Neuwarft, ℰ 325, III-IV

H Klaar Kiming, Haffdeich 1, ℰ 888, ab II

P Peterswarft, Peterswarft-Dorfstr., ℰ 323, ab II

P Toolen Slüüs, Osterdeich 4, ℰ 373, V

P Recklef, Osewolder Koog 14, ℰ 209, II-III

Pz Jannsen, Neuwarft, ℰ 212, ab II

Pz Magnussen, Nordseesiedlung 3, ℰ 291, II

Pz Jensen, Osewoldter Koog 10, ℰ 801, II

Pz Neumann, Waygaard-Süd, ℰ 882, I-II

Emmelsbüll-Horsbüll

PLZ: 25924; Vorwahl: 04665

🛈 Fremdenverkehrsverein Wiedingharde, Dorfstr. 19, ℰ 776

Gh Südwesthörn, Südwesthörnerstr. 9, ℰ 278, III

Pz Braun, Südwesthörnerstr. 8, ℰ 331, II

Pz Friedrichsen, Diedersbüller Weg 2, ℰ 309, I-II

Pz Möller, Rundwarfer Weg 3, ℰ 494, I

Pz Thode, Kleinkoogsdeich 5, ℰ 769, II

Niebüll

PLZ: 25892; Vorwahl: 04661

🚺 Fremdenverkehrsverein, Rathaus,
  ℰ 941015
H Bossen, Hauptstr. 15, ℰ 608001, V
Hg Morgenstern, Deezbüller Str. 70, ℰ 4204, III
Gh Zur alten Schmiede, Hauptstr. 27, ℰ 9615-0, III
P Insel-Pension, Gotteskoogstr. 4, ℰ 2145, III
Pz Matthiesen, Aventofter Str. 57, ℰ 5336, II
Pz Storjohann, Deezbüll Burg 14, ℰ 5401, I
Pz Eitzen, Friedr.-Paulsen-Str., ℰ 4100, II
Pz Jensen, Marktstr. 41, ℰ 5702, I
Pz Neitzsch, ℰ 3190, II
Pz Pries, Andr.-Christ-Str. 10, ℰ 3690, II
⛺ Jugendherberge, Deezbüll-Deich 2, ℰ 8762, 15.05.-15.10.
⛺ Jugendherberge, Mühlenstr., Eröffnung Mai 2001

Süderlügum

PLZ: 25923; Vorwahl: 04663
🚺 Fremdenverkehrsverein Süderlügum,
  Hauptstr. 7, ℰ 7555
Pz Johannsen, Mühlenweg 5, ℰ 938
Pz Lerche, Zur Heide 17, ℰ 391
Pz Petersen, Mühleweg 14, ℰ 215
Pz Tiedemann, Westerhoferweg 25, ℰ 7142

Pz Wollesen, Osterstr. 3, ℰ 303

Humptrup

PLZ: 25923; Vorwahl: 04663
🚺 Fremdenverkehrsverein Süderlügum,
  Hauptstr. 7, ℰ 7555
Pz Ehlers, Dorfstr. 30, ℰ 205, I
Pz Jensen, Grellsbüller Str. 15, ℰ 474, I
Pz Winter, Grellsbüller Str. 4, ℰ 7201, I

Neukirchen

PLZ: 25924; Vorwahl: 04665
🚺 Fremdenverkehrsverein Wiedingharde, Dorf-
  str. 19, ℰ 776
H Hesbüller Hof, Klanxbüller Str. 85, ℰ 503, V-VI
Gh Fegetasch, Osterdeich, ℰ 202, III

Seebüll

PLZ: 25924; Vorwahl: 04665
Gh Seebüll, ℰ 264, V

Tønder (Dänemark)

Vorwahl: 00457472; PLZ: DK-6270
🚺 Turistbureau, Torvet 1, ℰ 1220
H Hostrups, Søndergate 30, ℰ 2129
H Bowler Inn, Ribelandevej 56, ℰ 0011
H Tønderhus, Jomfrustien 1, ℰ 2222
⛺ Tønder Vandrerhjem, Sønderport 4, ℰ 3500

⛺ Tønder Camping, Holmvej 2a, ℰ 1849
⛺ Møgeltønder Camping, Sdr. Strengvej 2, Møgeltønder, ℰ 00457473/8460

Rodenäs

PLZ: 25924; Vorwahl: 04668
🚺 Fremdenverkehrsverein Wiedingharde, Dorf-
  str. 19, ℰ 776
H Rickelsbüller Hof, Neudorf 8, ℰ 92010, V-VI
Pz Winkelmann, Markhäuser 10, ℰ 361, I, 🐾

Klanxbüll

PLZ: 25924; Vorwahl: 04668
🚺 Informationszentrum Wiedingharde, Toft
  1, ℰ 313
Pz Isbrecht, Bahnhofstr. 48, ℰ 592, I, 🐾

Rodenäs:

H Riekelsbüller Hof, Neudorf, ℰ 92010, III

Friedrich-Wilhelm-Lübke-Koog:

Pz Maahs, Klanxbüller Weg 21, ℰ 309, I, 🐾

Insel Amrum

PLZ: 25946; Vorwahl: 04682
🚺 Amrum Touristik, Am Fähranleger Wittdün,
  ℰ 94030

Wittdün

H Weiße Düne, Achtern Strand 6, ℰ 9400-00, VI

H Treffpunkt, Mittelstr. 24, ℰ 2087, IV
Hg Vier Jahreszeiten, Obere Wandelbahn 16,
  ℰ 350, VI
P Haus Südstrand, Mittelstr. 30, ℰ 2708, III-IV
Pz Godewind, Dünenweg 2, ℰ 2230, III-IV
Pz Dünengrund, Hauptstr. 85, ℰ 06229/
  960008, I-II, teilw. 🐾
Pz Eckart, Mittelstr. 20, ℰ II-III, 🐾
⛺ Ferienzeltplatz, ℰ 2408, 01.04.-30.09.
⛺ Campingplatz, ℰ 2254, 15.03.-31.10.
⛺ Jugendherberge, Mittelstr. 1, ℰ 2010, ganz-
  jährig geöffnet

Nebel

PLZ: 25947
H Altes Amrumer Bahnhofshotel, Strunwai 3,
  ℰ 2338, III-IV
H Friedrichs, Uasterstigh 18, ℰ 94970, V-VI
Hg Ekke Nekkepenn, Waasterstigh 19,
  ℰ 94560, V-VI
Pz Haus Brigitta, Noorderstrunwai 9, ℰ 751, III

Nebel-Steenodde

H Steenodde, Stianoodswai 17, ℰ 9424-0, V
Pz Claußen, Stianoodswai 21, ℰ 2509, I, ohne
  Frühstück
Pz Peters, Ual-Hööw 3, ℰ 4508, II, teilw. 🐾

Nebel-Süddorf

P Haus Tanja, Neistigh 2, ☎ 785, III-V

Pz Haus Irene, Waasterstigh 38, ☎ 4560, II, ohne Frühstück

Norddorf

PLZ: 25952

H Ual Öömrang Wiartshüs, Bräätlun 4, ☎ 836, V

H Wellkimmen, Degelk 7, ☎ 9460-0, V-VI

H Haus Irmgard, Dünemwai 14, ☎ 9410-0, IV-V

H Graf Luckner, Madelwai 4, ☎ 94500, V-VI

H Neptun, Strunwai 7, ☎ 1234, IV-V

H Seeblick, Strunwai 13, ☎ 9210, VI

H Hüttmann, Ual Saarepswai 2-6, ☎ 9220, VI

Hg Pidder Lyng, Bideelen 5, ☎ 94440

Hg Törn-to, Haag 5, ☎ 676, IV-VI

Hg Michaelsen, Bräätlun 6, ☎ 94160, V

P Friedrich Flor, Ual Saarepswai 11, ☎ 2631, V

P Min Aran, Degelk 6, ☎ 697, IV

P Haus Margret, Faarderhuuch 13, ☎ 4575, V

P Haus Gerdina, Haag 9, ☎ 503, IV

P Motzke, Halemwai 5, ☎ 757, IV

P Zur Heimat, Lunstruat 17, ☎ 96269, IV

P Anka, Nei Stich 10, ☎ 736, IV-V

P Sturmmöwe, Nei Stich 15, ☎ 578, IV

100 P Onkel Toms Hütte, Nei Stich 51, ☎ 2013, IV

P Haus Pheline, Postwai 4, ☎ 553, IV-V

P Haus Leineweber, Taft 16, ☎ 9407-0, IV-V

P Ütjkiek, Ual Jaat 4, ☎ 2042, IV-V

P Haus Auguste, Ual Saarepswai 16, ☎ 1318, IV-V

P Friesenheim, Ual Saarepswai 18, ☎ 728, II-III

Pz Johannsen, Stegelk 4, ☎ 530, II

Pz Andresen, Taft 27, ☎ 2272, II

Insel Föhr

PLZ: 25938; Vorwahl: 04681

🚹 **Kurverwaltung** Wyk auf Föhr, Hafenstr. 23, ☎ 3040

Wyk

H Atlantis, Sandwall 29, ☎ 599-100, V-VI ♿

H Colosseum, Große Str. 42, ☎ 5970-0, V

H Duus, Hafenstr. 40, ☎ 5981-0, V-VI

H Kurhaus, Sandwall 40, ☎ 792, V-VI

H Schloss am Meer, Badestr. 112, ☎ 5867-0, V-VI

H Strandhotel, Königsstr. 1, ☎ 58700, IV-VI

Hg Haus Silbermöwe, Gmelinstr. 10b, ☎ 605, II-V

P Am Olhörn, Olhörnweg 28, ☎ 3178. III-IV

P Buth, Schmalstieg 10, ☎ 8850, IV

P Friede, Feldstr. 11, ☎ 5920-0, II-IV

P Gregory, G.-Reimers-Weg 1, ☎ 3133, IV-VI

P Haus Berger, Rebbelstieg 39, ☎ 2350, III-V

P Haus Jensen, Gmelinstr. 4, ☎ 5868-0, V

P Ruh ut, St.-Nicolai-Str. 9, ☎ 5978-0, V

P Hilligenlei, Waldstr. 2, $3 587258, II-IV

P Vier Jahreszeiten, Strandstr. 18, ☎ 8969, III

Pz Christiansen, Hamburger Ring 7, ☎ 1330, III

Pz Früchtnicht, Museumstr. 3, ☎ 8940, III

Pz Herr, Sandwall 11, ☎ 4491, III

Pz Kruse, Stepenitzer Weg 4, ☎ 2973, II

Pz Panse, Badestr. 46, ☎ 2166, II ✖

Pz Manteuffel, Friedrichstr. 12, ☎ 8512, I ✖

Pz Sierck, Holm 17, ☎ 3396, I-II ✖

Pz Willwater, Olhörnweg 26, ☎ 5983-0, III-IV o. Frühstück

Pz Stollberg-Mahr, Parkstr. 4, ☎ 2624, I-II o.Frühstück

🏠 Jugendherberge, Fehrstieg 41, ☎ 2355, ganzjährig geöffnet

Wrixum

Vorwahl: 04681

P Arfsen, Ohl Dörp 64, ☎ 2331, III-V

Oevenum

Vorwahl: 04681

H Landhaus Laura, Buurnstrat 49, ☎ 5970-0, V-VI

Gh Kröger's Dörpskroog, Dörpstrat 24, ☎ 2103, II

Midlum

Vorwahl: 04681

Bh Früchtnicht, Aussiedlungshof 10, ☎ 1088, I ✖

Bh Annelene Volkerts, Aussiedlungshof 15, ☎ 2157, I

Bh Karen Volkerts, Aussiedlungshof 15, ☎ 950, I-II

Oldsum

Vorwahl: 04683

Pz Jürgens, Nr. 158, ☎ 340, I, ✖

Pz Mattern, Nr. 199, ☎ 723, II

Nieblum

H Friesenhof, Jens-Jacob-Eschel-Str. 2, ☎ 5921-0, IV-V

H Witt, Alkersumstieg 4-6, ☎ 5877-0, V-VI

Hg Osterheide, Heidweg 18, ☎ 2895, III-V

Hg Timpe Te, Strandstr./Ecke Meetsweg, ☎ 1631, III-V

P Haus Agge, Wohldsweg 1, ☎ 2229, II-IV

P Haus Weimar, Namine Witt Wai 22, ☎ 2361, IV-V

...tersum

Vorwahl: 04683

Hg Zur Post, Boowen Taarep 7, ☎ 941012, III-V

Eckhüüs, Boowen Taarep 9, ☎ 358, II-III

Gh Knudsen, Boowen Taarep 15, ☎ 308, III-V

P Hansen, Söler Kaalkamp 5, ☎ 1088, III

Pz Hannchen, Jaardenhuug 6, ☎ 1396, III-IV

Pz Petersen, Waaster Jügem 14, ☎ 400, II

Dunsum

Vorwahl: 04683

Pz Hinrichsen, Nr. 23, ☎ 548, I

Insel Sylt

PLZ: 25980; Vorwahl: 04651

🛈 Bädergemeinschaft Sylt GmbH, Stephanstr. 6, Westerland, ☎ 82020

Hörnum

PLZ: 25997

H Am Leuchtturm, An der Düne 38, ☎ 96100, II-V

H Seepferdchen, Odde-Wei 1, ☎ 96300, II-IV

P Heuser, Blankes Tälchen 4, ☎ 881255, II, 🍴

🏠 Jugendherberge, Friedenplatz 2, ☎ 880294, ganzjährig geöffnet

Rantum

PLZ: 25980

Hg Alte Strandvogtei, Merret-Lassen-Wai 6, ☎ 92250, VI

Hg Hanseat, Dünem Wai 2, ☎ 23256, III-V

Pz Grüger-Petersen, Stiindeelke 46, ☎ 22612, III-IV, 🍴

Pz Friedeburg, Alte Dorfstr. 55c, ☎ 22348, II-III, ohne Frühstück

Westerland

PLZ: 25969

H Atlantic, Johann-Möller-Str. 30, ☎ 9880-0, VI

H Sylt, Bomhoffstr. 3, ☎ 996-0, V-VI

H Dünenburg, Elisabethstr. 9, ☎ 82200, IV-VI

H Miramar, Friedrichstr. 43, ☎ 855-0, VI

H Müller, Süderstr. 8, ☎ 27788, VI

H Roth am Strande, Standstr. 31, ☎ 9230, VI

H Stadt Hamburg, Strandstr. 2, ☎ 858-0, VI

H Sylter Seewolf, Bötticherstr. 13/14, ☎ 8010, VI

H Uthland, Elisabethstr. 12, ☎ 98600, VI

H Vier Jahreszeiten, Johann-Möller-Str. 40, ☎ 98670, VI

H Wiking, Steinmannstr. 11, ☎ 83002, VI

H Wünschmann, Andreas-Dirks-Str. 4, ☎ 5025, VI

Hg Achter Dünem, Lerchenweg 18, ☎ 82360,

IV-VI

Hg Haus Braunschweig, Johann-Möller-Str. 38, ☎ 98230, V-VI

Hg Clausen, Friedrichstr. 20, ☎ 92290, V-VI

Hg Diana, Elisabethstr. 19, ☎ 9886-0, IV-V

Hg Haus Gutenberg, Friedrichstr. 27, ☎ 9888-0, V-VI

Hg Lerchengrund, Fichtenweg 6, ☎ 8224-0, IV-V

Hg Marin-Hotel Sylt, Elisabethstr. 1 u. 1a, ☎ 92800, V-VI

Hg Michaela, Königsberger Str. 1, ☎ 98710, III-V

Hg Monbijou, Andreas-Dirks-Str. 6, ☎ 991-0, V-VI

Hg St. Nicolai, Trift 6a, ☎ 921210, IV-VI

Hg Niedersachsen, Margarethenstr. 5, ☎ 9222-0, V-VI

Hg von Stephan, Friedrichstr. 25, ☎ 997-0, V-VI

Hg Südwind, Lorens-de-Hahn-Str. 55, ☎ 994444, V-VI

Hg Sylter Hahn, Robbenweg 6, ☎ 92820, V-VI

Hg Uthörn, Uthlandstr. 29, ☎ 22826, V

Hg Villa Kristina, Norderstr. 7, ☎ 25201, V-VI

Hg Wagenknecht, Wenningstedter Weg 59,

☎ 982411, V

P Agnes, Johann-Möller-Str. 2, ☎ 24490, V

P Brigitte, Meisenweg 12, ☎ 23510, IV-V

P Lewerenz, Kirchenweg 23, ☎ 23708, IV

P Maybach, Maybachstr. 26, ☎ 6775, V

P Matzens Gästehüs, Henningstr. 18, ☎ 23565, IV-V

P Nielsen, Bastianstr. 5, ☎ 9869-0, III-IV

P Roseneck, Kuhrstr. 1, ☎ 929333, III-V

Pz Preziosi, Käpt'n Christiansen-Str. 31, ☎ 1701, II-V, teilw. 🍴

Pz Haus Wacker, Inken-Michels-Weg 3, ☎ 23725, II-V, teilw. 🍴

⛺ Campingplatz Westerland, ☎ 994499, 01.04.-31.10.

Wenningstedt

PLZ: 25996

H Petit Robby, Westerlandstr. 29, ☎ 98520, IV-V

H Strandhörn, Dünenstr. 1, ☎ 94500, VI

H Strand-Hotel, Strandstr. 11, ☎ 98980, VI

H Wenningstedter Hof, Hauptstr. 1, ☎ 94650, VI

H Windrose, Strandstr. 21-23, ☎ 9400, VI

Hg Berlin, Risgap 16, ☎ 984900, V-VI

Hg Callesen, Kampener Weg 4, ☎ 41313, IV-VI

Hg Garten Hotel, Lerchenweg 6, ✆ 945434, VI
Hg Hansa, Dünenstr. 11, ✆ 41067, V-VI
Hg Heidehof, Hochkamp 10-14, ✆ 94660, V-VI
Hg Kiose, Berthin-Bleeg-Str. 15, ✆ 98470, V-VI
Hg Landhaus am Meer, Westering 2, ✆ 45100, V-VI
Hg Sylter Domizil, Hauptstr. 3, ✆ 8290-0, V-VI
Hg Villa Klasen, Westerstr. 7, ✆ 41095, VI
Hg Villa Mannstedt, Strandstr. 13, ✆ 41515, V-VI
Hg Westend, Westerlandstr. 14, ✆ 42001, V-VI
Hg Wiesbaden, Hochkamp 8, ✆ 98440, VI
Hg Witths Apparthotel, Alte Dorfstr. 9, ✆ 41435, VI
P Domicile, Fernsicht 1, ✆ 41508, V
P Gundi, Im Tal 3, ✆ 98540, III-V
P Leißner, Seeblick 1, ✆ 41470, IV-V
P Möwennest, Seestr. 8, ✆ 41351, IV-V
P Schimmelreiter, Am Ring 14, ✆ 42102, III

Keitum
PLZ: 25980
H Aarnhoog, Gaat 13, ✆ 399-0, V-VI
H Benen-Diken-Hof, Süderstr. 3, ✆ 9383-0, VI
H Groot's Hotel, Gaat 5, ✆ 93390, IV-V
H Kamp, Gurtstig 41, ✆ 9839-0, IV

H Seiler-Hof, Gurtstig 7, ✆ 9334-0, V
H Wolfshof, Osterweg 2, ✆ 3445, IV

Morsum
PLZ: 25980
H Landhaus Nösse, Nösistig 13, ✆ 97220, VI
Pz Kühl, Holm 1, ✆ 977171, V

Tinnum
PLZ: 25980
H Christiansen, Zur Eiche, 32-34, ✆ 9300, V-VI
P Bahnsen, Boy-Nielsen-Str. 23, ✆ 31932, III-IV
⚠ Campingplatz Südhörn, ✆ 3607, 01.01.-31.12.

Braderup
PLZ: 25996
H Weißes Kliff, M.-T.-Buchholz-Stig 9, ✆ 43008, IV-V

Kampen
PLZ: 25999
H Görlich, Hoogenkamp 3, ✆ 9456-0, V-VI
H Hamburger Hof, Kurhausstr. 3, ✆ 94600, VI
H Landhaus Südheide, Sjip-Wai 4, ✆ 94590, VI
H Reethüüs, Hauptstr. 18, ✆ 98550, VI
H Rungholt, Kurhausstr. 35, ✆ 448-0, VI
H Westerheide, Kurhausstr. 6, ✆ 98960, VI

Hg Godewind, Norderheide 16, ✆ 41110, V-VI
Hg Golf- u. Landhaus, Braderuper Weg 12, ✆ 46910, VI
Hg Kamphörn, Norderheide 2, ✆ 98450, V-VI
Hg Rechel, Kroghooger Wai 3, ✆ 41044, IV-VI
Hg Uns to Hus, Wulde-Schlucht 2, ✆ 9858-0, V-VI
Hg Village, Alte Dorfstr. 7, ✆ 46970, VI
Hg Walter's Hof, Kurhausstr. 23, ✆ 98960, VI
Hg Wuldehof, Wulde-Schlucht 5, ✆ 98510, V-VI
Gh Ahnenhof, Kurhausstr. 8, ✆ 42645, VI
Gh Am Watt, Wattweg 34, ✆ 82820, V-VI
Gh Inga, Kurhausstr. 17, ✆ 41386, V
Gh Kamp, Kiebitz-Weg 7, ✆ 94630, IV-V
Gh Katharinenhof, Brönshooger Weg 12, ✆ 41376, III
Gh Kehrwieder, Wattweg 11, ✆ 42689, III
Gh Kiebitz, Kiebitz-Weg 5, ✆ 41888, V
Gh Klawenbusch, Braderuper Weg 9, ✆ 41605, V
Gh Lerchenhof, Hobooken-Weg 8, ✆ 41329, V-VI
Gh Rackow, Alte Dorfstr. 13, ✆ 42549, III

List
PLZ: 25992

Hg Hüs bi See, Frischwassertal 17b, ✆ 870591, VI
Hg Landhaus Silbermöve, Süderhörn 7, ✆ 95220, IV-VI
P Seeschwalbe, Hafenstr. 6, ✆ 9504-0, III-IV
P Im Mövengrund, Mövengrund 31, ✆ 870225, V-VI
Pz Fennen-Hüs, Fennenweg 7, ✆ 95330, III
Pz Schlang, Am Loo 9, ✆ 870458, III
Pz Wattenmeer, Frischwassertal 20, ✆ 870478, II
🏠 Jugendherberge Mövenberg, ✆ 870397, Ostern - Anf. Nov.

Ortsindex

eitenzahlen in *kursiver*
chrift verweisen auf das
Übernachtungsverzeichnis.

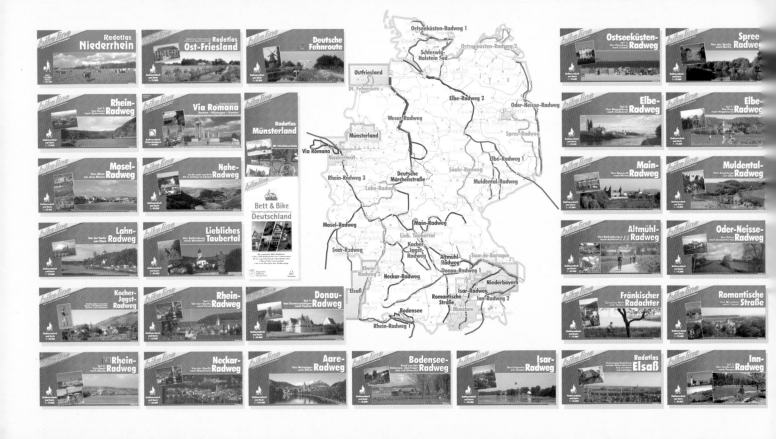